제1판

교원임용 교육학 논술대비

최원휘 SELF 교육학

핵심개념 456

최원휘 저

박문각 임용 동영상강의 www.pmg.co.kr

박문각

PREFACE

이 책의 머리말

우리 시험의 트렌드가 현장형(오픈형)으로 안착되었다고는 하지만 세부 문항의 절반은 이론의 특징, 장단점 등과 관련한 이론형 문제에 해당합니다. 또한, 현장형 문제 역시 이론을 적용하는 것에 초점을 두기 때문에 교육학 이론 학습은 선택이 아닌 필수라고 할 수 있습니다.

그런데 이론 학습을 단지 "눈으로만" 하는 경우를 많이 보게 됩니다. 그러다 보니 암기가 충분히 되지 않고, 막상 답을 쓰려 하면 적절한 개념들이 떠오르지 않는 경험을 하게 됩니다. 결국 회독은 많이 했지만 내가 보았던 내용이 완전히 내 것이 되지는 않았던 것이죠.

따라서 이 책은 중등임용 시험을 준비하시는 선생님들께서 교육학의 핵심개념을 완전히 내재화할 수 있도록 두 가지에 중점을 두었습니다.

첫째, 이론형 문제에 완벽히 대응할 수 있도록 문제를 구성하였습니다.

그간의 기출문제와 교수님들의 교과서를 통해 교육학의 중요 이론을 선별하였고, 각각의 이론별 개념, 특징, 장단점, 원리 등이 무엇인지를 묻는 문제를 출제하였습니다.

둘째, 단시간에 효율적으로 핵심개념을 인출할 수 있도록 답지 내 빈칸을 제시하였습니다.

방대한 시험 범위이지만 전체 공부의 20% 이상을 교육학에 투자하기 곤란한 우리 시험의 특수성을 고려했을 때 최대한 적은 시간 동안 많은 내용을 확인하는 것이 필요하다고 생각하였습니다. 따라서 답의 핵심 키워드가 되는 부분을 기입하도록 답지를 구성하였습니다.

결국 시험을 대비하는 가장 기본적인 방법은 암기이고, 문제를 통해 암기가 되었는지 확인하는 것입니다. 그런 점에서 이번《최원휘 SELF 교육학 핵심개념 456》은 선생님들의 중등임용 시험 합격에 있어서 가장 기본적인 방법을 효율적으로 이행하는 데 도움이 될 것이라 기대합니다.

이 책을 출간하는 데 있어서 현장의 관점에서 아이디어를 주고 함께 고민해주는 아내와, 책이 나올 때마다 언제나 최고의 아빠라고 말해주는 두 공주 솔이, 별이에게 사랑한다는 말을 전합니다.

최원휘 드림

INTRO

연간 커리큘럼 및 이 책의 활용

1 교육학 학습 전략 및 연간 커리큘럼

1. 교육학 학습 전략

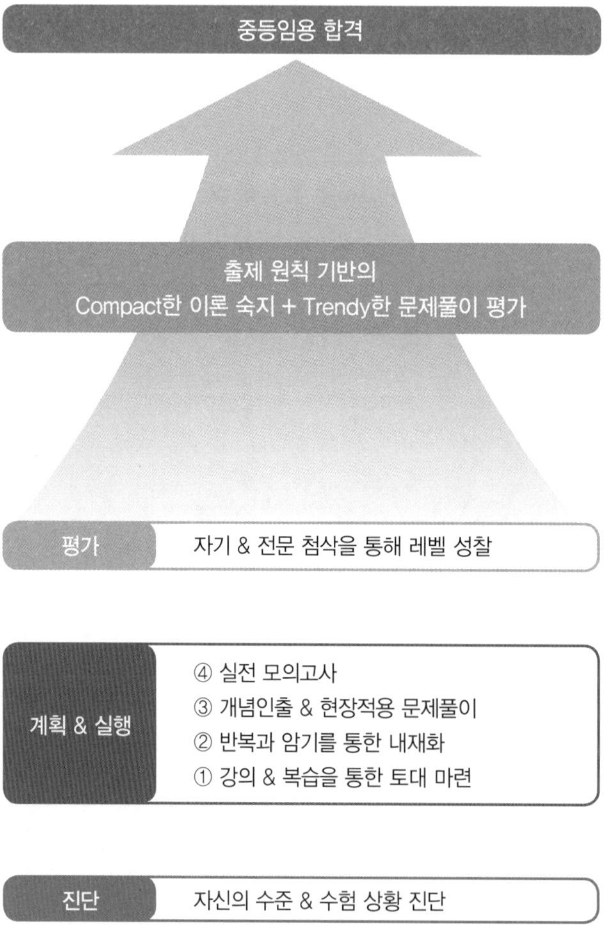

2. SELF 교육학 연간 커리큘럼

강의 컨셉

『 이론은 COMPACT & 실전은 TRENDY 』

- **"순환 체제"**를 **도입**하여 반복을 통한 핵심 이론 내재화
- **"단계별 문제풀이"**(이론형 인출 → 현장형 인출 → 실전모의)를 통해 중등임용 교육학 논술 완벽 대응

구분	강의명	중점 방향	교재
1순환	토대 마련 (1~2월)	교육학 기본 이론 이해	SELF 교육학 기본서
2순환	기출 내재화 (3~4월)	기출 이론 심화 이해 및 기출(변형)문제 풀이	기출문제 풀 · 채 · 써 (박문각임용 별도 구매)
3순환	이론형 인출 (5~6월)	핵심개념 암기 및 인출	**핵심개념 456**
4순환	현장형 인출 (7~8월)	이론 및 핵심개념의 현장 적용	미라클모닝 300제
5순환	실전 모의고사 (9~10월)	실전 모의고사 풀이	별도 자료
FINAL	최종 점검 및 모의고사 (11월)	최종 이론 점검 및 모의고사	별도 자료

2 이 책의 구성 및 활용 방법

1. 파트별 문제 개요

✦ 교육철학 및 교육사 개념인출 문제 개요

영역 구분			문제 번호
교육의 기초	교육의 의미		1~3
	교육의 목적		4
	우리나라 교육		5~6
교육사	한국 교육사		7~9
	서양 교육사	고대의 교육	10~12
		중세 및 근대의 교육	13~18
교육철학	전통철학과 교육		19~20
	교육철학 사조		21~25
	현대의 교육철학		26~30

영역별 문제 번호 확인

2. 문항의 구성

025 교육철학 사조 ★

재건주의 교육철학에서의 교육목적 1가지를 설명하고 이러한 목적 달성을 위한 구체적 교육방법 2가지를 제시하시오.

026 현대의 교육철학 ★★

문제 영역 및 중요도 확인

실존주의 교육철학의 교육목적 1가지를 설명하고, 이러한 목적 달성을 위해 부버(M. Buber)가 강조한 교육방법 1가지를 제시하시오.

★ : 기본 체크
★★ : 필수 체크
★★★: 출제 유력

3. 모범답안 & 빈칸암기노트

048 교과를 중심으로 한 교육과정 ★★

학문중심 교육과정이 추구하는 목표는 개별 교과의 지식의 구조를 학습하면서 [㉠] 하는 데 있다. 이때 지식의 구조란 [㉡](이)라고 할 수 있다. 이러한 지식의 구조를 학습했을 때 장점은 다음과 같다. 첫째, [㉢](이)다. 학습자는 핵심 개념, 원리를 소유하면 충분하므로 머릿속에 저장해야 할 정보의 양이 이전보다 적게 된다. 둘째, [㉣](이)다. 지식의 구조를 알면 이를 바탕으로 다른 지식을 습득하고 발견하기가 용이해진다.

핵심 키워드 빈칸

049 교과를 중심으로 한 교육과정 ★

학문중심 교육과정에서는 지식의 구조를 학습하기 위해서 교육과정을 나선형의 형태로 조직한다. 이때 나선형 교육과정의 내용 조직 원리는 다음과 같다. 첫째, [㉠]의 원리이다. 핵심적인 개념과 원리를 지속적으로 반복하면서 학습자가 자연스럽게 체득하도록 한다. 둘째, [㉡]의 원리이다. 핵심 내용을 단순 반복하는 것이 아니라 학습자의 발달 수준을 고려하면서 [㉢](으)로 심화시킨다. 이때 지식을 적절하게 표현하는 것이 중요한데, 지식의 경우 구체적인 행동에서 반추상적 영상, 마지막으로 [㉣](으)로 점차 심화하여 표현한다.

050 교과를 중심으로 한 교육과정 ★

학문중심 교육과정의 특징은 첫째, [㉠]을(를) 학습자가 스스로 발견하는 것을 강조한다. 둘째, 학습 내용을 계속성과 계열성에 따라 반복하고 심화한다. 이러한 특징을 고려했을 때 장단점은 다음과 같다. 첫째, 교과와 학문은 공통의 지식의 구조를 갖고 있다고 가정하면서 교과와 학문의 [㉡]을(를) 확보할 수 있다는 장점이 있지만, 지식의 구조를 스스로 발견하는 것 자체가 어려워 일반 학생들이 폭넓게 수행하기에 한계를 지닌다. 둘째, 반복과 심화 학습을 통해 학습자의 이해도, 기억 능력을 촉진할 수 있다는 장점이 있지만, 지나친 반복과 심화는 학습에 대한 [㉢]을(를) 감소시킨다는 단점이 있다.

빈칸 답

Answer

045 ㉠ 형식도야론(능력심리학) ㉡ 이성과 합리성의 계발 ㉢ 고전 교과
046 ㉠ 세분화 / 명확히 구분 ㉡ 공통 부문 ㉢ 공통 요인 ㉣ 통합
047 ㉠ 강의식 ㉡ 교과서 ㉢ 흥미 / 관심 ㉣ 교과서 외 내용(지식)
048 ㉠ 학습자의 지력을 계발 ㉡ 학문을 구성하고 있는 근본적인 개념과 원리 ㉢ 경제성 ㉣ 생성력
049 ㉠ 계속성 ㉡ 계열성 ㉢ 나선형의 형태 ㉣ 추상적 상징(언어)
050 ㉠ 지식의 구조 ㉡ 연계성 ㉢ 흥미

CONTENTS

이 책의 차례

PART V 교육심리 및 생활지도·상담

PART VI 교육행정

PART VII 교육사회

✦ 교육철학 및 교육사 개념인출 문제 개요

<table>
<tr><th colspan="3">영역 구분</th><th>문제 번호</th></tr>
<tr><td rowspan="3">교육의 기초</td><td colspan="2">교육의 의미</td><td>1~3</td></tr>
<tr><td colspan="2">교육의 목적</td><td>4</td></tr>
<tr><td colspan="2">우리나라 교육</td><td>5~6</td></tr>
<tr><td rowspan="3">교육사</td><td colspan="2">한국교육사</td><td>7~9</td></tr>
<tr><td rowspan="2">서양교육사</td><td>고대의 교육</td><td>10~12</td></tr>
<tr><td>중세 및
근대의 교육</td><td>13~18</td></tr>
<tr><td rowspan="3">교육철학</td><td colspan="2">전통철학과 교육</td><td>19~20</td></tr>
<tr><td colspan="2">교육철학 사조</td><td>21~25</td></tr>
<tr><td colspan="2">현대의 교육철학</td><td>26~30</td></tr>
</table>

I

교육철학 및 교육사

Chapter

01 교육의 기초

모범답안 & 빈칸암기노트 p.006

001 교육의 어원

다음의 내용과 관련하여 교육에 관한 동양적 어원의 특징 3가지를 제시하시오.

> 동양에서는 교육(教育)의 의미를 가르칠 교(敎), 기를 육(育)으로 구분하여 설명한다. 교(敎)는 성숙자가 바람직한 것과 그렇지 않은 것을 가르고, 이를 통해 미성숙자를 바람직한 방향으로 이끌어 간다는 의미로 해석될 수 있다. 또한 육(育)은 성숙자가 사랑과 관심을 가지고 미성숙자가 선천적 능력을 발휘할 수 있도록 길러준다는 의미로 볼 수 있다.

002 교육의 비유

교육의 양대 비유와 관련하여 최 교사와 정 교사가 가지고 있는 관점을 각각 제시하고 각각의 관점별로 교육목적과 교사의 역할을 각 1가지씩 제시하시오.

> 최 교사 : 장인이 일정한 틀에 재료를 부어 동일한 물건을 만드는 것과 같이 교육은 학생에게 일정한 교육과정을 제공하여 성숙한 인간으로 성장시켜 나가는 과정입니다.
> 정 교사 : 정원사는 식물의 특성에 따라 다른 생육 환경을 조성합니다. 이와 같이 교육은 학생의 특성에 따라 다른 교육 환경을 조성하는 것입니다.

003 교육의 의미

다음과 관련하여 피터스(R.S. Peters)가 말한 교육을 합당하게 하는 준거 3가지를 제시하시오.

> 교육은 내재적으로 가치 있는 것을 도덕적으로 온당한 방식으로 의도적으로 전달하는 것입니다. 따라서 교육은 특정 목적 달성을 위한 수단이라기보다는 교육이 가지고 있는 내재적 가치를 추구할 때 교육이라고 할 수 있습니다. 따라서 제대로 교육을 받은 사람은 전체를 보고 이해할 수 있는 안목이 생기고 이를 통해 인간으로서 성장하게 되는 것입니다.

004 교육의 목적 ★

교육의 내재적 목적과 외재적 목적의 개념을 예시와 함께 제시하시오.

005 우리나라의 교육 ★

헌법 제31조 제1항에서 확인할 수 있는 교육의 양대 이념을 제시하고, 해당 이념과 관련한 교육정책을 각 1가지씩 제시하시오.

> 헌법 제31조 ① 모든 국민은 능력에 따라 균등하게 교육을 받을 권리를 가진다.

006 우리나라의 교육

학습권의 내용과 관련하여 ㉠과 ㉡에 들어갈 내용과 이 내용을 실현하는 정책 또는 제도 2가지를 제시하시오.

> 학습권의 내용 : ① 학습을 방해받지 않을 권리
> ② [㉠]
> ③ [㉡]
> ④ 결과로서의 교육 내용 습득을 보장받을 권리

Chapter

02 교육의 역사

모범답안 & 빈칸암기노트 p.008

007 한국교육사

다음 내용을 참고하여 조선시대 과거 시험의 대표적 방식으로서 강경(講經)과 제술(製述)의 평가 방법을 평가하고자 하는 능력과 함께 제시하시오.

> 판부사(判府事) 변계량이 상서하여 말하기를, "문과의 [초시] 초장(初場)에서 강경(講經)으로 시험하는 것은 옳지 못함이 한두 가지가 아닙니다. 대개 사람들이 학문을 하는 데에는, 어려서는 기송(記誦, 기억하여 욈)과 훈고(訓詁, 자구의 해석)를 익히고, 장성하여서는 제술(製述, 시문을 지음)을 배우고, 늙어서는 저서(著書, 책을 저술함)하는 것이 보통입니다. [소과의] 생원 시험에서도 오히려 제술로 그 성적의 높낮이를 매기면서, 도리어 [대과의] 과거 시험 초장에서 훈고만을 시험하여 떨어뜨리는 것이 옳겠습니까. 이것이 옳지 못한 첫 번째 이유입니다."

008 한국교육사

다음 내용을 참고하여 조선시대 서당의 교수·학습상 특징 3가지를 제시하시오.

> 조선시대 서당에서는 학습자별로 그날 외워야 하는 학습량을 정하고 그것을 암송하는 경우에만 다음으로 넘어갔다. 또한 암송 외에도 초·중장 놀이, 조조잡기, 가마 놀이 등 다양한 학습 방법을 활용하였다.

009 한국교육사

갑오개혁 중 교육에 관한 내용 4가지를 제시하시오.

010 고대 그리스 교육

고대 그리스 문화의 특징 3가지와 고대 아테네 교육의 목적 1가지를 제시하시오.

011 고대 그리스 교육 ★

다음을 참고하여 소크라테스의 대화법의 특징을 2가지 제시하시오.

> 교사는 학생에게 "민주주의란 무엇인가요?"를 질문하고, 학생은 "선거를 해서 대표를 뽑는 것이요." 라고 대답을 한다. 이에 대해 교사는 선거를 통해 독재자를 뽑았던 사례를 제시한다. 질문과 대답, 피드백을 계속하면서 학생은 자신이 민주주의에 대해 잘못 알고 있음을 깨닫는다. 이에 마지막으로 교사는 학생에게 "스스로 의사 결정에 참여하고 자신이 원하는 후보를 뽑을 수 있는 것은 무엇인가요?" 라고 질문하면, 학생은 기존에 알고 있었던 개념에 "자유"를 포함시킨다.

012 고대 그리스 교육 ★

고대 그리스 자유교육의 의미를 제시하고 자유교육의 특징 2가지를 설명하시오.

013 중세의 교육

중세 전기의 교육과 후기 교육의 특징을 각 1가지씩 설명하고, 중세에 대학이 등장한 이유 1가지를 제시하시오.

014 르네상스기의 교육

르네상스(Renaissance)의 개념을 제시하고, 이 시기 교육의 특징을 개인적 인문주의와 사회적 인문주의로 구분하여 각 1가지씩 설명하시오.

015 종교개혁기의 교육

종교개혁이 교육에 미친 영향 2가지를 제시하시오.

016 실학주의 교육 ★

실학주의의 등장 배경을 설명하고 실학주의 교육의 특징 3가지를 제시하시오.

017 실학주의 교육 ★

실학주의 교육의 주요 내용을 인문적 · 사회적 · 감각적 실학주의로 구분하여 설명하시오.

018 근대의 교육

자연주의 교육과 신인문주의 교육의 특징을 각 1가지씩 제시하시오.

Chapter

03 교육철학

모범답안 & 빈칸암기노트 p.012

019 전통철학과 교육

진리에 관해서 각 교사들이 가지고 있는 관점의 명칭을 전통철학의 측면에서 제시하고, 각 교사들이 강조할 교육 내용을 적절한 교육 방법과 함께 제시하시오.

> 이 교사 : 교육을 통해 불변하는 진리의 세계로 학생을 안내하는 것이 중요합니다. 따라서 학생들이 감각 훈련을 통해 일시적인 감각의 능력을 계발하는 것이 아니라 불변의 진리를 탐구할 수 있는 영속적이고 이성적인 능력을 계발하도록 교육해야 합니다.
>
> 박 교사 : 궁극적 실재라는 것은 물질이고, 인식으로부터 독립해서 객관적으로 존재하므로 우리는 교육을 통해 객관 세계의 법칙과 질서를 파악할 수 있도록 도와줘야 합니다.

020 전통철학과 교육

진리에 관한 자연주의와 실용주의의 입장을 설명하시오.

021 교육철학 사조 ★★

진보주의 교육의 교육목적을 설명하고 이를 달성하기 위한 구체적 교육 방법 2가지를 제시하시오.

022 교육철학 사조 ★★

진보주의 교육의 특징 1가지를 제시하고 제시한 특징과 관련하여 진보주의 교육의 의의와 한계를 각 1가지씩 제시하시오.

023 교육철학 사조 ★

다음과 가장 관련 있는 20세기 전기의 교육철학 사조의 교육 내용과 방법, 그리고 의의와 한계를 각 1가지씩 제시하시오.

> 교육은 과거로부터 발전해 온 기초기능, 예술, 과학을 학습하는 것입니다. 이러한 기본 교과를 통해 성공적 삶을 영위하기 위한 필요 행동을 습득할 수 있습니다.

024 교육철학 사조 ★

아들러(M.J. Adler)의 파이데이아 제안에서 언급한 파이데이아의 개념을 설명하고, 현대에도 고전교육이 필요한 이유 1가지와 고전교육을 가장 효과적으로 실시하는 방법 1가지를 항존주의 교육철학의 입장에서 제시하시오.

025 교육철학 사조 ★

재건주의 교육철학에서의 교육목적 1가지를 설명하고 이러한 목적 달성을 위한 구체적 교육방법 2가지를 제시하시오.

026 현대의 교육철학 ★★

실존주의 교육철학의 교육목적 1가지를 설명하고, 이러한 목적 달성을 위해 부버(M. Buber)가 강조한 교육방법 1가지를 제시하시오.

027 현대의 교육철학

다음에서 설명하는 20세기 후기 교육철학 사조의 명칭을 쓰고 해당 철학에 입각한 교육의 목적 1가지를 설명하시오.

> 피터스(R.S. Peters)는 교육, 교수, 학습 등 교육의 주요 개념에 대해 논리적으로 분석하고자 했다. 그는 주요 개념을 언어적으로 명료화하면서 교육이론의 논리적 모순성과 모호성을 극복하고자 했다.

028 현대의 교육철학

불평등을 재생산하는 교육에 대한 비판으로서 비판적 교육철학이 추구하는 교육의 목적 1가지, 이러한 목적 달성을 위해 하버마스(J. Habermas)와 프레이리(P. Freire)가 제안한 교육방법을 각각 1가지씩 제시하시오.

029 현대의 교육철학

포스트모더니즘 교육철학에서 보는 지식의 관점, 이러한 지식관에 근거한 교육과정 및 교육방법상의 특징을 각 1가지씩 제시하시오.

030 현대의 교육철학

홀리스틱(holistic) 교육의 목적 1가지를 설명하고, 홀리스틱 교육의 원리 3가지를 제시하시오.

MEMO

✦ **교육과정** 개념인출 문제 개요

영역 구분			문제 번호
이해	의미와 성격		31～32
	구분		33～35
	공식적 교육과정 구분		36～40
역사	논의의 분화		41
	이해 패러다임		42～44
유형	교과중심		45～51
	학습자중심		52～57
	사회중심		58～59
	역량중심		60
개발	기본적 이해		61
	전통적	Tyler	62～66
		Taba	67～68
		백워드설계	69～71
	대안적	Walker	72
		Eisner	73～76
		교육과정 재구성 SBCD	77～80
	설계모형		81
	일반적 설계원리		82～86
	통합 교육과정		87～90
운영 및 평가	운영	기본, 운영 관점	91～93
		CBAM 모형	94～96
	평가	목표중심 모형	97～98
		의사결정 모형	99～102
		판단중심 모형	103～106
		자연주의 모형	107
정책	2022 개정 교육과정		108～114
	고교학점제		115～117
	교 · 수 · 평 · 기 일체화		118～120

Ⅱ

교육과정

Chapter

01 교육과정의 이해

모범답안 & 빈칸암기노트 p.018

031 교육과정의 성격

〈보기〉의 내용을 참고하여 공적 목적 달성을 위한 교육과정의 특성을 4가지 제시하시오.

〈 보기 〉

교육이란 이상적 인간의 육성, 공정한 사회의 구축 등 공적인 교육목적 달성을 위한 교육 활동을 의미한다. 이때 교실 현장에서 교육을 실제로 운영하는 사람은 교사이므로 교사가 주도적인 역할을 수행해야 한다. 그러나 교육은 결국 학습자를 성장시키는 일이므로 무엇보다도 학습자의 인지적 측면과 정의적 측면 등 학습자의 특성을 고려하여 운영해야 한다.

032 교육과정의 성격 ★★★

교육과정을 결정할 때 고려해야 하는 3대 요소를 그 이유와 함께 제시하시오.

033 교육과정의 구분 ★

잠재적 교육과정의 개념과 잭슨(P. Jackson)이 제시한 잠재적 교육과정이 발생하는 원천 3가지를 서술하시오.

034 교육과정의 구분

다음에서 제시된 교육과정과 잠재적 교육과정의 차이점 1가지를 설명하고, 기존 학교에 대한 대안으로 제시된 학습망(learning web)에 대해 서술하시오.

> 사회 지배층은 계속해서 지배층으로 남고 싶어 하고 피지배계층 위에 군림하고자 한다. 사회 지배층은 폭력과 억압 등으로 권력을 유지할 수 있지만 교묘한 방법으로 자신의 지위를 유지하고자 하는데, 이때 활용하는 것이 바로 교육이다. 따라서 공식적 교육과정에는 사회 지배층의 이익을 반영하는 교육 내용이 계획적이면서도 은밀하게 숨겨져 있다. 그러므로 특정 가치를 주입하는 장소인 학교는 폐기하는 것이 올바르며 학습망(learning web)이 학교를 대체해야 한다.

035 교육과정의 구분 ★★

아이즈너(E.W. Eisner)가 언급한 영 교육과정의 개념과 예시를 제시하고, 영 교육과정으로 인해 발생하는 부정적 효과를 학습자, 교과, 사회 측면에서 각 1가지씩 제시하시오.

036 공식적 교육과정의 구분 ★★

국가 교육과정의 특징 2가지를 제시하고 이러한 특징으로부터 발생하는 단점 2가지를 제시하시오.

037 공식적 교육과정의 구분 ★★

지역 교육과정의 예시 1가지와 특징 2가지, 이러한 특징으로부터 발생하는 장점 2가지를 제시하시오.

038 공식적 교육과정의 구분 ★★★

학교 교육과정의 특징 2가지, 이러한 특징으로부터 발생하는 장단점을 각 2가지씩 제시하시오.

039 공식적 교육과정의 구분 ★★

변화 단계에 따라 교육과정을 분류할 때 계획한 교육과정, 실행한 교육과정, 경험한 교육과정의 개념에 대해 서술하시오.

040 공식적 교육과정의 구분

글래트혼(A. Glatthorn)이 제시한 실제적 교육과정의 세부 유형 3가지를 제시하고 실제적 교육과정 논의의 교육적 의의 1가지를 서술하시오.

Chapter

02 교육과정의 역사

모범답안 & 빈칸암기노트 p.022

041 교육과정 개발 패러다임

다음의 내용과 관련하여 타일러(R.W. Tyler)를 비롯한 교육과정 개발 패러다임의 장점 2가지를 설명하고, 개발 패러다임이 갖는 한계 1가지를 교육과정 이해의 패러다임 관점에서 제시하시오.

> 타일러(R.W. Tyler)는 「교육과정과 수업의 기본원리」를 통해 기존 교육과정 논의를 합리적으로 종합하고 정리하고자 했다. 특히 목표 설정 단계를 먼저 제시하고 학습경험 선정 – 조직 – 평가라는 단계를 제시하였다.

042 교육과정 이해 패러다임 ★

교육과정 이해 패러다임의 주요 내용을 실제적 · 구조적 · 미학적 접근 방식으로 나누어서 설명하시오.

043 교육과정 이해 패러다임 ★★

파이나(W. Pinar)가 제시한 쿠레레 방법론의 목적과 4단계에 대해 설명하시오.

044 교육과정 이해 패러다임 ★

교육과정 개발 패러다임에서 강조하는 목표 진술에 대한 아이즈너(E.W. Eisner)의 비판 2가지를 제시하시오.

Chapter

03 교육과정의 유형

모범답안 & 빈칸암기노트 p.024

045 교과를 중심으로 한 교육과정

다음 내용을 참고하여 교과중심 교육과정에 밑바탕이 되는 이론의 명칭을 제시하고, 교과중심 교육과정이 추구하는 궁극적 목적과 교육과정에 반영된 주된 교육 내용을 각 1가지씩 제시하시오.

힘든 운동을 하면 육체적 근력이 단련되듯이 고전 교과를 학습하면 상상력, 이해력, 분석력 등 정신의 근력도 단련이 된다.

046 교과를 중심으로 한 교육과정 ★

교과중심 교육과정의 내용 조직 유형 4가지를 설명하시오.

047 교과를 중심으로 한 교육과정 ★★

교과중심 교육과정의 교수 방법상 특징 2가지, 제시한 특징과 관련한 장단점을 특징별로 각 1가지씩 설명하시오.

048 교과를 중심으로 한 교육과정 ★★

학문중심 교육과정의 교육목표 1가지와 지식의 구조의 개념, 지식의 구조를 학습했을 때 장점 2가지를 제시하시오.

02

049 교과를 중심으로 한 교육과정 ★

나선형 교육과정의 내용 조직 원리 2가지, 학습자가 지식의 구조를 발견하기 위해 교사가 지식을 표현하는 방식에 대해 서술하시오.

050 교과를 중심으로 한 교육과정 ★

학문중심 교육과정의 특징 2가지와 제시한 특징과 관련한 장단점 각 1가지를 특징별로 제시하시오.

051 교과를 중심으로 한 교육과정 ★

교육목표에 대한 메이거(R.F. Mager)의 분류에 따라 다음의 목표를 분석하시오.

> 책을 보지 않고 교육학 문제를 60분 이내에 논술할 수 있다.

052 학습자를 중심으로 한 교육과정 ★★★

〈보기〉를 참고하여 경험중심 교육과정이 추구하는 궁극적 교육목표를 설명하고 이를 달성하기 위한 교육방법 2가지를 제시하시오.

〈 보기 〉

아동		교사		교과
• 심리적 • 즉흥적	⬅	아동과 교과의 만남 주선	➡	• 논리적 • 추상적

02

053 학습자를 중심으로 한 교육과정 ★★★

경험중심 교육과정의 조직 유형 3가지를 제시하시오.

054 학습자를 중심으로 한 교육과정 ★★

경험중심 교육과정의 특징 2가지와 제시한 특징과 관련한 장단점 각 1가지를 특징별로 제시하시오.

055 학습자를 중심으로 한 교육과정 ★

인간중심 교육과정의 목적 1가지를 제시하고 이를 달성하기 위한 교사의 태도와 주된 교육 원리를 각 1가지씩 제시하시오.

056 학습자를 중심으로 한 교육과정

다음을 참고하여 구성주의 교육과정 유형 2가지의 명칭을 제시하고 각각의 유형에서 지식을 형성하는 관점을 유형별로 설명하시오.

A 유형 : 지식을 구성해가는 개인에 초점을 두는 접근으로서 개인의 특성에 따라 지식을 다르게 받아들이는 것을 전제 B 유형 : 개인이 속하는 사회에 초점을 두는 접근으로서 사회, 문화, 상호작용 등에 따라 사회에서 유효한 지식이 다르다고 전제

02

057 학습자를 중심으로 한 교육과정 ★

구성주의 교육과정의 특징 2가지와 제시한 특징과 관련한 장단점 각 1가지를 특징별로 제시하시오.

058 사회를 중심으로 한 교육과정

생활적응 교육과정에서 강조하는 항상적 생활 사태의 개념과 이를 중시하는 학습의 장점 2가지를 제시하시오.

059 사회를 중심으로 한 교육과정 ★★

중핵 교육과정의 특징 2가지와 제시한 특징과 관련한 장단점 각 1가지를 특징별로 제시하시오.

060 역량을 중심으로 한 교육과정 ★★★

2022 개정 교육과정의 비전과 관련한 핵심 역량을 제시하시오.

비전 : 포용성과 창의성을 갖춘 주도적인 사람의 육성

Chapter

04 교육과정의 개발

모범답안 & 빈칸암기노트 p.029

061 기본적 이해

교육과정 개발에 있어서 양대 유형(중앙집중형, 분권형)의 장단점을 유형별로 각 1가지씩 제시하시오.

062 합리적 교육과정 개발

타일러(R.W. Tyler)가 제시한 합리적 교육과정 개발의 네 가지 단계를 설명하시오.

063 합리적 교육과정 개발 ★

타일러(R.W. Tyler)의 합리적 교육과정 개발모형에서 임시적 교육목표를 설정할 때 활용하는 자원 3가지, 임시적 교육목표를 구체적 목표로 정선할 때 활용하는 기준 2가지를 제시하시오.

064 합리적 교육과정 개발 ★★

타일러(R.W. Tyler)가 합리적 교육과정 개발모형을 통해 제시한 학습경험 선정의 일반적 원칙 중 A교사가 언급한 내용에 해당하는 원칙 2가지를 제시하시오.

> A교사 : 이번 시간에는 환경문제에 대해서 토론해보는 수업을 진행하고자 해요. 학습목표로는 "환경에 관한 자신의 입장을 논리 있게 말할 수 있다."를 설정하였고요. 이러한 목표 달성을 위한 학습 주제로서 이제 막 중학교 1학년이 된 학생들의 수준을 고려하여 저탄소, 태양광 산업 등 너무 어렵거나 구체적인 문제로 내용을 선정하기보다는 환경을 보호해야 한다는 입장과 개발을 우선해야 한다는 입장으로 토론을 진행하려고 합니다. 이렇게 토론을 진행하다보면 원래의 학습 목표뿐만 아니라, 타인의 주장을 경청하는 능력, 상호작용하는 능력 등도 성취할 수 있을 것이라고 기대되네요.

065 합리적 교육과정 개발 ★★

타일러(R.W. Tyler)가 합리적 교육과정 개발모형에서 학습경험 조직의 원칙으로 제시한 계속성, 계열성, 통합성의 원칙에 대해서 설명하시오.

066 합리적 교육과정 개발 ★★

보기의 내용을 참고하여 합리적 교육과정 개발 모형의 장점과 단점을 각 2가지씩 제시하시오.

〈 보기 〉

타일러의 합리적 교육과정 개발 모형에서는 학습목표를 강조하면서 목표는 사전에, 구체적인 행동목표로 진술할 것을 요구한다.

067 단원개발 모형

타바(H. Taba)의 단원개발 모형에서 교육과정 개발의 주체가 누구인지 제시하고, 그에 따른 장점 2가지를 설명하시오.

068 단원개발 모형 ★

타바(H. Taba)의 단원개발 모형의 1단계에서 교사가 단원목표를 설정하기 이전에 해야 하는 활동 1가지를 제시하고, 2단계에서 단원을 검증할 때 검증의 기준 3가지를 제시하시오.

1단계		2단계		3단계		4단계		5단계
시험적 교수학습 단원 구성	➡	시험 단원 검증	➡	단원 개선	➡	단원 구조화	➡	단원 정착 및 확산

02

069 역행설계 모형

위긴스와 맥타이(G. Wiggins & J. McTighe)가 제시한 역행설계 모형에서의 개발 절차를 3단계로 설명하시오.

070 역행설계 모형 ★★

위긴스와 맥타이(G. Wiggins & J. McTighe)의 역행설계 모형에서 바람직한 교육결과로서 제시하는 영속적 이해의 개념과 영속적 이해가 갖는 특성 3가지를 제시하시오.

071 역행설계 모형 ★

위긴스와 맥타이(G. Wiggins & J. McTighe)의 역행설계 모형에서 제시한 수업계획의 원리(WHERETO) 중 수업의 도입 단계에서 적용할 수 있는 원리 2가지를 제시하시오.

072 자연주의적 개발 모형

합리적 개발 모형에 대한 워커(D. Walker)의 비판 1가지를 제시하고, (가)에 해당하는 것의 명칭과 이것이 가져다주는 교육적 의의 1가지를 제시하시오.

토대 다지기 ➡ (가) ➡ 설계

02

073 예술적 교육과정 개발 모형 ★★★

아이즈너(E.W. Eisner)의 예술적 교육과정 개발 모형에서 구체적 행동 목표에 대한 대안으로서 제시한 목표 2가지를 각각의 예시와 함께 제시하시오.

074 예술적 교육과정 개발 모형 ★★★

다음을 참고하여 아이즈너(E.W. Eisner)의 예술적 교육과정 개발 모형에서 교사가 갖추어야 하는 역량과 이것을 발현시킨 교사 활동의 예시 2가지를 제시하시오.

> A교사 : 교육은 예술적이란 특성을 가지고 있기 때문에 목표중심의 표준화된 내용을 선정하고 정해진 학습기회를 제공하는 것이 아니라 학습자 특성에 맞게 교육목표와 내용을 변형할 수 있어줘야 합니다. 즉, 목표와 내용은 학생에게 유의미한 학습활동으로 변형시킬 수 있어야 합니다.

075 예술적 교육과정 개발 모형 ★

아이즈너(E.W. Eisner)의 예술적 교육과정 개발 모형에서는 학생들에게 충분한 교육기회를 부여하는 학습내용을 강조했다. 이때 학습내용을 다양하게 제시하면 학습자들의 다양한 반응을 이끌어낼 수 있다고 본다. 교사가 활용할 수 있는 구체적인 학습내용 제시 방식 2가지를 제시하시오.

076 예술적 교육과정 개발 모형 ★★★

아이즈너(E.W. Eisner)의 예술적 교육과정 개발 모형에서 학습자를 제대로 평가하기 위해 교사에게 요구되는 능력 2개와 주된 평가 방법 1가지를 제시하시오.

077 교육과정 재구성 ★

교육과정 분권화가 필요한 이유 3가지를 제시하시오.

078 교육과정 재구성 ★★★

단위학교에서 교육과정을 재구성하는 경우 구체적인 재구성 방법 3가지를 제시하시오.

079 교육과정 재구성 ★★★

교육과정 문해력의 개념을 쓰고, 교사의 교육과정 문해력을 함양할 수 있는 구체적인 방안 2가지를 제시하시오.

080 학교중심 교육과정 개발모형 ★★★

스킬벡(M.P. Skilbeck)의 학교중심 교육과정 개발모형(SBCD)의 첫 번째 단계의 명칭을 제시하고, 해당 단계에서 분석하는 내용 2가지를 각 내용별 구체적인 분석 방법과 함께 제시하시오.

02

081 교육과정 설계모형

교육과정 설계모형 중 내용모형, 목표모형, 과정모형에서 강조하는 교육내용을 모형별로 각 1가지씩 제시하시오.

082 교육과정의 일반적 설계원리 ★

교육목표 분류학에 따라 교육목표를 설정할 때 인지적 영역과 정의적 영역의 교육목표를 위계화 하는 기준에 대해서 제시하시오.

083 교육과정의 일반적 설계원리 ★

교육내용과 학습경험을 선정할 때 준수해야 하는 기본원리 3가지를 제시하시오.

084 교육과정의 일반적 설계원리 ★★

A교사가 교육내용과 학습경험의 조직을 위해서 고려한 요소를 제시하고 이러한 요소에 영향을 미친 요인 3가지를 제시하시오.

> A교사 : 실제 교육 현장에서는 제한된 시간 등 현실적인 이유로 모든 내용을 가르칠 수 없고 꼭 필요한 내용을 중심으로 선택할 수밖에 없습니다. 예를 들어 관악기의 종류가 수없이 많지만 현실적으로 교육과정에서 선정하는 교육내용은 리코더, 그중에서도 소프라노 리코더를 선택하게 되는 것이죠.

085 교육과정의 일반적 설계원리 ★★★

학습내용의 수직적 조직원리 중 하나인 계열성의 개념을 설명하고, 학습 내용의 계열성을 확보하기 위해 학습내용을 조직하는 구체적인 방법 3가지를 제시하시오.

086 교육과정의 일반적 설계원리 ★★★

교육내용의 조직원리 중 총체적 조직원리로서 연계의 개념을 설명하고 구체적인 연계의 방법 2가지를 제시하시오.

087 통합 교육과정 ★★★

드레이크(S. Drake)가 제시한 통합 교육과정의 운영 원리 3가지를 제시하시오.

088 통합 교육과정 ★★★

통합 교육과정 3가지 유형의 주요 특징에 대해서 설명하시오.

089 통합 교육과정 ★★★

통합 교육과정 운영의 성공 조건 4가지를 각각의 조건을 고려한 구체적 지원방안과 함께 제시하시오.

090 통합 교육과정 ★★★

통합 교육과정의 성공적인 운영을 위해 수업 준비단계에서 해야 하는 교사의 역할 2가지를 제시하시오.

Chapter

05 교육과정의 운영 및 평가

모범답안 & 빈칸암기노트 p.039

091 운영의 기본적 이해

보기를 참고하여 교육과정 운영 시 준수해야 할 원칙 3가지를 제시하시오.

〈 보기 〉

교육과정은 절대 불변의 것이 아니다. 급변하는 사회에 적절하게 대응하기 위하여, 학생들의 성장을 고려하기 위하여, 교사가 자율적으로 운영할 수 있어야 하며, 필요한 경우 학생, 학부모, 지역사회의 의견을 고려하여 언제든 수정 운영할 수 있어야 한다.

092 운영의 관점

스나이더 등(Snyder et al.)의 교육과정 운영의 관점에 따를 때 각 교사가 취하는 관점의 명칭과 각 관점에 따라 교육과정을 운영할 때의 장점을 각 1가지씩 제시하시오.

A교사 : 교육과정은 공교육의 목적을 달성하기 위한 것입니다. 따라서 국가 교육과정에서 제시한 목표, 방법, 내용들을 최대한 그대로 이행하는 것이 필요합니다.

B교사 : 변화의 속도가 빠른 현대 사회에서는 지역마다 학교마다 접하게 되는 사회의 모습이 다릅니다. 따라서 국가 교육과정은 기본적인 틀만 제공해주고 실제 운영은 교사가 자율적으로 하는 것이 바람직합니다.

093 운영의 관점 ★

교육과정 운영에 대한 스나이더 등(Snyder et al.)의 분류에 따를 때 다음의 내용과 가장 관련 있는 관점의 명칭을 제시하고, 해당 관점에 따라 교육과정을 운영할 때 나타날 수 있는 장단점을 학습자 측면에서 각 1가지씩 제시하시오.

> A교사 : 복합적인 지식이 중요시되는 현대 사회에서는 교과 간의 구분 없이 문제나 쟁점 중심으로 교육과정을 조직하고 운영하는 것이 중요합니다. 이때 학생들은 교사와 함께 핵심 개념 중심으로 학습 내용을 선정하고, 그 내용을 탐구할 수 있는 방법을 함께 고민하고 수업에 참여할 수 있도록 하는 것이 중요합니다.

094 CBAM 모형 ★

교육과정 운영에 관한 홀(G.E. Hall)의 모형에 따를 때 새로운 교육과정의 실행 정도를 결정하는 요인을 제시하고, 교육과정 운영에 있어서 발생하는 '교육과정 사소화 현상'에 대해서 설명하시오.

095 CBAM 모형 ★

교육과정 운영에 관한 홀(G.E. Hall)의 모형에 따를 때 새로운 교육과정을 실행하기 시작하는 관심 수준의 정도를 제시하고, 새로운 교육과정에 대한 교사의 관심도를 높이기 위한 지원 방안 2가지를 제시하시오.

096 CBAM 모형 ★

홀(G.E. Hall)이 제시한 CBAM 모형이 주는 교육적 시사점 2가지를 제시하시오.

02

097 목표중심 모형

교육 프로그램에 대한 평가 시 타일러(R.W. Tyler)는 명세적으로 작성한 교육 프로그램의 목표 달성 여부를 평가할 것을 강조한다. 이러한 특성을 고려했을 때 이 모형이 갖는 장단점을 각 1가지씩 제시하고, 목표의 명세화를 위한 구체적인 방법 1가지를 제시하시오.

098 목표중심 모형

프로버스(M. Provus)의 불일치 평가모형에 근거하여 보기의 내용을 설명하고, 보기에서 나타난 문제해결을 위해 A교사가 할 수 있는 구체적인 방안을 1가지 제시하시오.

〈 보기 〉

○○학교는 예술이음학교 연구학교로서 다양한 통합 예체능 교육과정을 운영하였다. ○○학교는 이전 년도 전국 예술이음학교 학생 만족도 조사 평균이었던 80점을 목표로 교육과정을 운영하였으나 운영 결과 70점에 머물렀다. 예술이음학교 담당자인 A교사는 문제점에 대해 혼자 고민해 보았지만 별다른 해결책을 찾을 수 없었다.

099 의사결정 모형 ★

스터플빔(D. Stufflebeam)의 CIPP 모형을 비롯한 의사결정 평가 모형이 교육 프로그램 평가를 하는 목적 1가지, 이때 프로그램 평가자의 역할 1가지를 제시하시오.

100 의사결정 모형 ★

스터플빔(D. Stufflebeam)의 CIPP 모형에 근거할 때, 다음의 상황과 관련한 의사결정의 종류와 이때 필요한 평가유형을 제시하시오.

> ○○중학교 A교사는 새롭게 시작하는 학교 자율시간을 어떻게 운영해야 할지 고민하고 있다. 먼저 A교사는 ○○중학교가 속한 지역, 학생들의 특성 등을 분석하여 이번 학교 자율시간 운영의 목표와 우선순위를 고려하고자 한다.

101 의사결정 모형

스터플빔(D. Stufflebeam)의 CIPP 모형에서 제시하는 과정평가의 개념과 구체적인 과정평가의 방법 2가지를 제시하시오.

02

102 의사결정 모형

스터플빔(D. Stufflebeam)의 CIPP 모형의 장단점을 각 2가지씩 제시하시오.

103 판단중심 모형 ★

스크리븐(M. Scriven)이 제시한 탈목표평가의 평가내용 2가지와 평가 방법 1가지를 제시하시오.

104 판단중심 모형

스크리븐(M. Scriven)이 제시한 탈목표평가의 교육적 시사점과 한계를 각 2가지씩 제시하시오.

105 판단중심 모형

교육 프로그램의 평가와 관련하여 아이즈너(E.W. Eisner)가 제시한 예술적 비평 모형에서는 평가 내용을 표현하는 기술로 교육 비평을 강조한다. 이때 교육 비평의 3가지 종류에 대해서 설명하시오.

106 판단중심 모형

스테이크(R. Stake)의 종합실상모형에 평가의 대상인 전체적 실상의 종류 3가지를 제시하고 이 모형에서의 평가절차를 설명하시오.

107 자연주의

스테이크(R. Stake)가 제시한 반응적 평가 모형의 평가 내용과 평가 방법 각 1가지를 설명하시오.

Chapter

06 교육과정의 정책(우리나라 교육과정)

모범답안 & 빈칸암기노트 p.044

108 2022 개정 교육과정 ★★★

2022 개정 교육과정의 비전을 설명하시오.

109 2022 개정 교육과정 ★★★

2022 개정 교육과정에서 제시하는 기초소양 3가지를 설명하시오.

110 2022 개정 교육과정 ★★

다음의 내용을 참고하여 2022 개정 교육과정에서 강조하는 기초소양의 종류 1가지와 이를 함양하기 위한 교과 학습 예시 2가지를 제시하시오.

> 최근 기사에 의하면 우리나라 고등학생의 어휘력이 크게 떨어지는 것으로 나타나고 있다. 맞춤법을 지키지 못하는 것은 물론 "지양과 지향", "반증과 방증" 등 한자어를 구분하지 못하거나 "하루 · 이틀 · 삼일 · 사흘" 등 제대로 된 표현을 하지 못하는 경우도 많다고 지적되고 있다.

111 2022 개정 교육과정 ★★★

2022 개정 교육과정에서는 자기주도성 함양을 강조한다. 이때 자기주도성의 구성요소 2가지와 자기주도성을 높이는 구체적인 방안 2가지를 제시하시오.

112 2022 개정 교육과정 ★★

더불어 사는 사람 육성을 위해 2022 개정 교육과정을 통해 실시하는 공동체 교육의 구체적인 사례 3가지를 제시하시오.

113 2022 개정 교육과정 ★★★

2022 개정 교육과정을 통해 처음 도입된 학교 자율시간의 개념을 설명하고, 학교 자율시간의 구체적인 운영방법 2가지를 제시하시오.

114 2022 개정 교육과정 ★

2022 개정 교육과정에서 다음과 같이 교과 교육의 지향점 4가지를 제시한 이유를 설명하시오.

> 교과교육의 지향점 : ① 깊이 있는 학습, ② 교과 간 연계와 통합, ③ 삶과 연계한 학습,
> ④ 학습 과정에 대한 성찰

115 고교학점제 ★

2025년 전면 적용되는 고교학점제의 개념과 고교학점제가 갖는 교육적 의의 3가지를 제시하시오.

116 고교학점제 ★

고교학점제의 운영 중점 3가지를 제시하시오.

117 고교학점제 ★★

고교학점제의 성공적 운영을 위한 교사의 역할을 담임교사, 교과교사, 진로전담교사로 나누어서 설명하시오.

02

118 교 · 수 · 평 · 기 일체화 ★★★

2022 개정 교육과정에서 강조하는 교육과정-수업-평가-기록 일체화의 필요성을 설명하고, 이를 구성하는 요소 4가지를 제시하시오.

119 교 · 수 · 평 · 기 일체화 ★★

교 · 수 · 평 · 기 일체화를 위해 학생 중심의 수업을 강조한다. 이때 구체적인 학생중심 수업의 방법 4가지를 제시하시오.

120 교 · 수 · 평 · 기 일체화

2022 개정 교육과정에서 말하는 성취기준의 기능 3가지를 제시하시오.

✦ 교육방법 개념인출 문제 개요

영역 구분			문제 번호
이해	교수학습 기초 및 3대 변인		121~125
	교수학습 일반 절차		126~129
	교육공학의 기초		130~131
이론	패러다임 변화		132~133
	프로그램 교수법		134~135
	학교학습모형		136~138
	완전학습		139~140
	유의미학습		141~144
	발견학습		145~147
	ARCS		148~150
구성주의 이론	공통		151~155
	학습환경 설계		156~159
	PBL		160~161
	프로젝트 학습법		162~163
	상황학습이론		164
	맥락정착적 교수이론		165~166
	자원기반학습		167~171
	인지적 유연성 이론		172~174
	인지적 도제 이론		175~176
	실천공동체		177
	상보적 교수이론		178~179
	목표기반 시나리오		180
교수설계	ISD 모형		181~185
	이론	가네이론	186~190
		정교화이론	191~193
		내용요소제시이론	194~196
	Tyler		197
	Glaser		198
	ADDIE		199~200
	Dick & Carey		201~205
	R2D2		206
교수매체	연구		207~208
	모형		209~210
	미래형 교수매체		211
	ASSURE모형		212~215
실행	강의식		216
	문답식		217
	토의토론식		218
	협동학습		219~224
	개별화 학습		225
	자기주도학습		226
	탐구학습		227
새로운 교수법	컴퓨터활용 교수법		228~229
	원격수업		230~231
	거꾸로수업		232
	에듀테크 활용 교육		233~234
	하브루타 수업		235
	팀티칭		236

III

교육방법

Chapter

01 교수학습 및 교육공학의 이해

모범답안 & 빈칸암기노트 p.050

121 교수학습의 기초

〈보기〉를 참고하여 학습의 특성 3가지를 제시하시오.

〈 보기 〉

학습은 연습이나 경험의 결과로 발생하는 비교적 영속적인 행동상의 변화를 의미한다.

122 교수학습의 3대 변인 ★★

〈보기〉의 내용을 참고하여 라이겔루스(C. Reigeluth)가 제시한 교수학습의 3대 변인을 설명하시오.

〈 보기 〉

교수(instruction)란 수업 전·중·후의 모든 활동을 의미하는 것으로 교사의 수업 활동만을 의미하는 Teaching과 차이가 있다.

03

123 교수학습의 3대 변인 ★★

라이겔루스(C. Reigeluth)가 제시한 교수학습의 3대 변인 중 조건변인의 정의를 제시하고, 다음의 예에서 A교사가 수업 설계 시 고려한 조건변인 3가지를 설명하시오.

> A교사 : 이번 시간에는 실시간 화상회의 프로그램을 통해 토의토론학습을 진행할 예정이에요. 이를 위해 교과교육과정상 제시되어 있는 학습 목표를 확인하고, 학습자들의 선수학습 수준을 고려해서 모둠을 구성할 계획입니다. 그리고 학생들이 실시간 화상회의 프로그램을 자신의 컴퓨터나 태블릿, 스마트폰에 설치했는지 미리 확인할 예정이에요.

124 교수학습의 3대 변인

라이겔루스(C. Reigeluth)가 제시한 교수학습의 3대 변인 중 방법변인의 정의를 제시하고 각 교사가 활용할 수 있는 내용 조직 전략을 교사별로 각 1가지씩 제시하시오.

> A교사 : 저는 이번 시간에 우리 주변에서 확인할 수 있는 수질오염의 사례를 제시하고 이를 해결하기 위한 방안을 모색하는 수업을 진행하려 합니다.
> B교사 : 저는 이번 환경오염에 관하여 수업을 하면서 환경오염의 종류를 수질오염, 생태계 파괴, 원전폐기물 등 다양한 측면에서 논의하고 환경오염에 관한 다양한 입장들에 대해서 토론해보는 시간을 가지려 합니다.

125 교수학습의 3대 변인

라이겔루스(C. Reigeluth)가 제시한 교수학습의 3대 변인 중 결과변인에 대해서 설명하시오.

126 교수학습의 일반적 절차 ★★

교수학습의 일반적 절차를 준비–실행–평가로 나눌 때, 수업의 준비단계에서 교사의 역할 3가지를 제시하시오.

127 교수학습의 일반적 절차 ★

다음을 보고 수업 시작 전 교육목표를 진술할 교사의 유의점 3가지를 제시하시오.

학습목표 : ① 민주주의의 특징
② 민주주의를 다른 비교되는 이념(사회주의, 공산주의 등)과 비교하여 설명한다.
③ 민주주의의 사례를 친구들하고 나누고, 바람직한 민주주의 모습에 대해 설명할 수 있다.

128 교수학습의 일반적 절차 ★★★

A교사는 수업 전 학습자에 관한 출발점 행동을 진단하고자 한다. A교사가 출발점 행동 진단 시 활용할 수 있는 구체적 진단 방법 3가지를 제시하시오.

A교사 : 학습자 맞춤형 교육을 위해서는 우선 학습자를 정확히 이해하는 것이 중요합니다. 학습자들의 가정환경과 건강상태를 확인하는 것은 물론, 학습자의 선수학습 수준, 학습에 대한 학습자의 흥미를 종합적으로 진단하고 분석하는 것이 학습자 맞춤형 교육의 시작입니다.

129 교수학습의 일반적 절차 ★★

수업 시작 후 도입단계에서의 교사의 역할 3가지를 제시하시오.

130 교육공학의 기초

교육공학의 5가지 영역을 제시하고, 〈보기〉와 같이 교육공학을 정의하는 경우 밑줄 친 ㉠이 의미하는 바를 설명하시오.

〈 보기 〉

교육공학의 정의 : 적절한 공학적 과정 및 자원을 창출, 활용, 관리함으로써 학습을 촉진하고 수행을 개선하는 연구와 ㉠ 윤리적 실천(미국 교육공학회, 2008)

131 교육공학의 기초

A교사는 이번 시간에 PPT를 통해서 수업을 진행하고자 한다. 교육공학의 영역 중 "설계(design)" 영역과 관련하여 A교사가 해야 할 일 3가지를 제시하시오.

Chapter

02 교수학습이론

모범답안 & 빈칸암기노트 p.054

132 교수학습 패러다임 변화

다음을 보고 교수·학습에 관한 과거 전통적 패러다임의 특징을 교수·학습방법, 평가 측면에서 제시하고 이것이 주는 문제점 2가지를 제시하시오.

> 과거의 전통적 패러다임에서는 불변의 지식에 접근할 수 있는 권한이 교사에게만 주어졌다. 따라서 교사는 지식을 학습자들이 잘 이해할 수 있도록 선정·조직하여 가장 효과적인 방법을 통해 전달하는 것이 핵심이었고, 평가는 교수학습의 결과로서 지식을 잘 습득했는지 여부에 초점을 두었다.

133 교수학습 패러다임 변화 ★

다음을 보고 교수학습에 관한 미래공학적 패러다임의 특징 2가지를 제시하고 이때 교사와 학생의 역할을 각 1가지씩 제시하시오.

> 정보통신 기술의 발전으로 지식베이스에 교사뿐 아니라 학생이 자유롭게 접근할 수 있게 되면서 교육의 공간은 단지 교실에 머물지 않게 되었다. 또한 지식을 수동적으로 습득하기 바빴던 과거와 달리 학습자들은 스스로 자신에게 필요한 지식을 탐구하고 나아가 새로운 지식을 창출하게 되었다.

134 프로그램 교수법

스키너(B.F. Skinner)의 프로그램 교수법의 학습원리 3가지를 제시하시오.

135 프로그램 교수법 ★

스키너(B.F. Skinner)의 프로그램 교수법에서 제시한 학습유형 중 다음에서 제시한 학습법 유형의 명칭을 제시하고, 이 유형의 장단점을 각 1가지씩 제시하시오.

> 요즘 들어 학습자 맞춤형 교육을 위해 다양한 AI 교육 프로그램이 제작·활용되고 있다. 초급 형태의 AI 교육 프로그램은 학습자의 수준에 따라 다른 난이도의 학습과제를 순차적으로 제공하는 형태인데, 학습자가 문제를 맞히면 좀 더 어려운 문항이 제시되고 문제를 틀리면 좀 더 쉬운 문항이 제시된다. 학습자의 학습 이력을 AI가 관리하면서 지속적으로 학습자 수준에 맞는 과제를 제시하는 것이다.

136 학교학습모형

캐롤(J. Carroll)의 학교학습모형도에 따를 때 학습에 필요한 시간과 학습에 사용된 시간에 영향을 미치는 학습자 변인을 제시하시오.

$$\text{학습의 정도} = f\left(\frac{\text{학습에 사용된 시간}}{\text{학습에 필요한 시간}}\right)$$

03

137 학교학습모형 ★

캐롤(J. Carroll)의 학교학습모형도에 따르면 학습에 사용된 시간을 증가시키는 경우 학습의 정도가 향상된다. 학습에 사용된 시간을 높이기 위한 방법 2가지를 제시하시오.

138 학교학습모형 ★★

캐롤(J. Carroll)의 학교학습모형도에 따르면 학습에 필요한 시간을 감소시키기 위해 교사는 교수의 질을 높여야 한다. 교수의 질을 높이는 구체적인 방안을 수업 전과 수업 중으로 나누어 각 2가지씩 제시하시오.

139 완전학습 ★★

블룸(B. Bloom)이 이야기한 완전학습의 정의를 제시하고, 완전학습을 위한 교사의 역할을 수업 전과 수업 중으로 나누어서 1가지씩 제시하시오.

140 완전학습

블룸(B. Bloom)이 언급한 완전학습이론이 우리 교육에 주는 시사점을 1가지 제시하고 우리나라에서 완전학습과 관련한 주요 교육정책 2가지를 제시하시오.

141 유의미학습

다음을 보고 오수벨(D. Ausubel)이 언급한 유의미학습이 나타나기 위한 학습과제의 특성 2가지를 제시하시오.

> 유의미학습이 일어나기 위해서 학습과제는 상황에 따라서 임의로 변화하지 말아야 한다. 예를 들어 개는 영어로 dog, puppy, 한글로 강아지 등 다양한 의미로 표현되더라도 개라는 속성은 변화하지 않는다. 또한 실제 동물 개가 '개'라는 글자와 연결되고 난 이후에는 그 어떤 누군가가 와서 개를 보고 '고양이'라는 글자와 연결시키려 해도 그것은 성립하지 않는다.

142 유의미학습 ★

오수벨(D. Ausubel)의 유의미학습은 새로운 학습과제가 학습자에게 연결될 때 나타나게 된다. 이때 학습자가 갖추고 있어야 할 인지적 특성과 정의적 특성을 오수벨이 언급한 개념을 통해 각 1가지씩 제시하시오.

143 유의미학습 ★

오수벨(D. Ausubel)이 새로운 과제와 학습자의 기존 인지 구조를 연결시키기 위해서 제시하는 것의 명칭과 이것의 기능 3가지를 제시하시오.

144 유의미학습

오수벨(D. Ausubel)의 유의미학습이론에서 제시하는 교수원리 4가지를 제시하시오.

145 발견학습

브루너(J. Bruner)가 제시한 발견학습의 목적 1가지와 발견학습의 절차, 그리고 그때 교사의 역할 1가지를 제시하시오.

146 발견학습 ★

브루너(J. Bruner)가 제시한 발견학습의 성공을 위한 교사의 수업 전략 3가지를 제시하시오.

147 발견학습 ★★

오수벨(D. Ausubel)의 유의미학습이론과 브루너(J. Bruner)의 발견학습이론을 교육목표, 교수학습방법, 교사의 역할 측면에서 비교하여 설명하시오.

148 ARCS이론 ★★

켈러(J. Keller)의 ARCS이론에서 주의집중(Attention)을 유도하기 위한 교수 전략 3가지를 제시하시오.

03

149 ARCS이론 ★★★

켈러(J. Keller)의 ARCS이론에 근거하여 다음의 상황에서 A학생의 학습동기가 떨어지는 이유를 분석하고 A학생의 학습동기를 유발하는 구체적인 방법 2가지를 제시하시오.

> A학생은 고등학교에 와서 처음으로 독일어를 접했다. 영어는 잘하지만 처음 배우는 독일어가 발음도 어렵고, 명사의 성(性)에 따라 관사가 변화하는 것이 너무나 어렵다고 느끼고 있다.

150 ARCS이론 ★

켈러(J. Keller)의 ARCS이론에 근거할 때 다음의 교수전략이 ARCS 중 어떤 요소와 관련이 있는지 2가지로 설명하시오.

> B교사는 독일어 학습에 낮은 학습동기를 갖는 A학생에게 영어실력 상향평준화 속에서 독일어를 통해 세계 일류 기업에 취업한 사례를 보여주면서 동기를 자극하였다. 또한 발음에 관해서 어려움을 겪는 A를 위해 수업이 끝난 시점마다 A의 발음을 녹음하였고 한 달이 지났을 때 수업 초기 발음과 이후의 발음을 비교해서 들려주면서 A가 성장했음을 알려주었다.

151 구성주의 공통

구성주의는 객관주의를 바탕으로 하는 전통적인 교수 · 학습 모형에 대한 비판으로 등장하였다. 구성주의와 객관주의의 차이점을 지식관, 교육목적, 교육방법 측면에서 비교하시오.

152 구성주의 공통 ★

구성주의를 견지하는 교수 · 학습이론들의 공통된 특징 3가지를 제시하시오.

153 구성주의 공통 ★

구성주의 교수학습이론에서의 교사와 학습자의 역할을 각 1가지씩 제시하시오.

154 구성주의 공통 ★

다음을 참고하여 구성주의의 두 가지 접근 방법의 명칭과 각 접근 방법에 따를 때 주된 학습 방법을 각 1가지씩 제시하시오.

> A교사 : 지식은 결국 개인의 정신활동을 통해서 새롭게 형성됩니다. 따라서 미래 교육환경에서는 학습자의 인지 구조를 자극하여 새로운 지식을 창출하도록 유도하는 것이 필요합니다.
> B교사 : 지식은 개인의 정신활동을 통해서 형성되지만, 그것을 촉진하는 것은 개인과 개인 간의 상호작용이라고 생각합니다. 따라서 이를 자극하는 것이 교사의 역할이라고 생각합니다.

155 구성주의 공통

구성주의 교수학습 이론에 따르는 교육 방법이 주는 교육적 의의 3가지를 2022 개정 교육과정의 비전과 관련하여 서술하시오.

156 구성주의 학습환경 설계

조나센(D. Jonassen)의 구성주의 학습환경 설계에 따를 때 문제해결을 위해 활용하는 자원 2가지와 그것의 활용 도구 및 활용을 촉진하는 방법 3가지를 제시하시오.

157 구성주의 학습환경 설계 ★

조나센(D. Jonassen)의 구성주의 학습환경 설계에 따를 때 교사의 역할 3가지를 제시하시오.

158 구성주의 학습환경 설계 ★

조나센(D. Jonassen)의 구성주의 학습환경 설계에 따를 때, (가)에 해당하는 것의 명칭과 그것의 특징 3가지를 제시하시오.

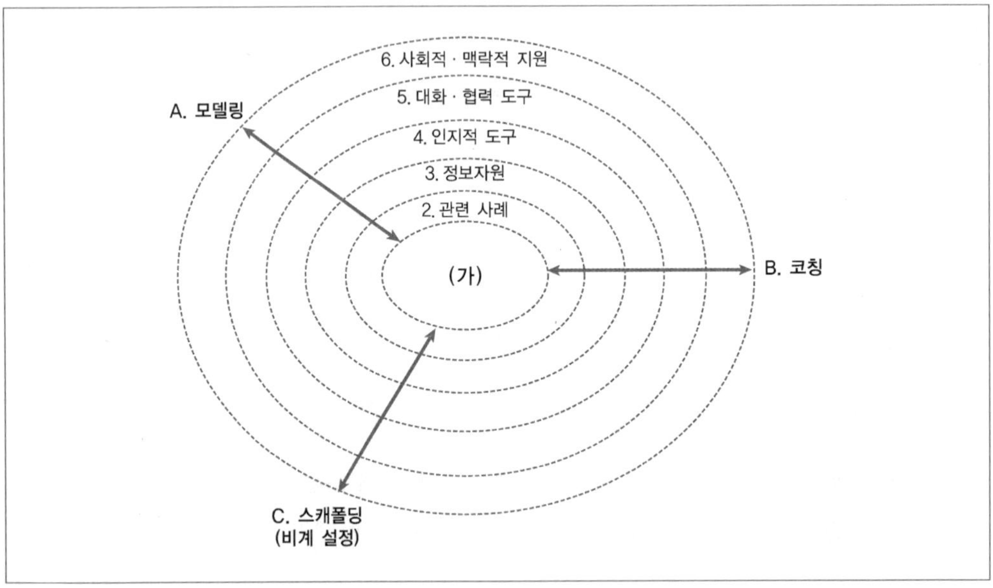

03

159 구성주의 학습환경 설계

조나센(D. Jonassen)의 구성주의 학습환경 설계에 따를 때 학습자의 역할 3가지를 제시하시오.

160 문제중심학습(PBL) ★

다음을 참고했을 때 배로우즈(H. Barrows)의 문제중심학습(Problem based learning)에서 다루는 과제의 특성 4가지를 제시하시오.

> 배로우즈(H. Barrows)는 환자의 질환을 확인하고 그에 맞는 처방을 하는 것이 의대 교육의 중심이 되어야 함에도 지나치게 암기 중심으로 운영되는 것을 비판하면서 문제중심학습을 제시하였다. 즉, 실전에서 마주하는 환자의 질환은 분명하게 나타나지 않는 경우가 많아 의료진이 이를 스스로 이해하고 정의해야 하고 정확한 처방을 위해서는 다수의 의료진 간의 활발한 토의가 필요한데, 기존의 교육은 의대 학생들에게 단순 암기만을 강조하다보니 학생들이 지루함만 느끼고 동기부여도 안 된다고 비판한 것이다.

161 문제중심학습(PBL)

다음의 내용을 참고하여 문제중심학습(PBL)의 장단점을 각 2가지씩 제시하시오.

> 문제중심학습은 실생활과 관련한 문제와 자료를 제공하고 그 문제를 이해하고 해결방안을 마련하는 데 있어서 학습자의 주도적인 역할을 무엇보다 강조한다.

162 프로젝트 학습법

프로젝트 학습법의 개념을 설명하고 이를 통해 길러지는 역량 2가지를 제시하시오.

163 프로젝트 학습법

프로젝트 학습법의 절차로서 (가)와 (나)에 해당하는 내용을 제시하고, (가)와 (나)에서 교사의 역할을 각 1가지씩 제시하시오.

〈프로젝트 학습법의 절차〉

목적 설정				실행		
학습자의 흥미와 적성을 고려한 목표 설정	➡	(가)	➡	계획에 따른 학습 실행	➡	(나)

164 상황학습이론

상황학습이론의 목적과 과제 제시 방법 1가지, 이때 교사의 역할 1가지를 제시하시오.

165 구성주의 교수이론 ★

구성주의 교수학습이론 중 A교사가 활용한 교수학습 방법과 가장 관련 있는 교수학습이론의 명칭과 이 이론에 따른 교수학습 방법의 장점 2가지를 학습자 측면에서 제시하시오.

> 중학교에서 수학을 가르치는 A교사는 자신의 학교에 소위 수포자가 많다는 사실을 인지하였다. 학생들과 상담한 결과 대부분의 학생들이 수학은 실제 생활과 관련이 없고 매번 문제만 푸는 것이 수학을 포기하게 만든 이유라는 것을 인식하였다. 이에 A교사는 여행 도중 사막에서 길을 잃은 가상의 사례를 제시하면서 목적지까지의 거리, 이동 수단, 연료, 시간당 필요한 물의 양 등을 자원으로 제시하고 시간 내에 목적지까지 가는 방법을 계산하도록 하였다. 그리고 이런 문제를 영상을 통해 제시하였다.

166 맥락정착적 교수이론

맥락정착적 교수이론(Anchored instruction)에서 강조하는 효과적 앵커의 구성원리 3가지를 설명하시오.

167 자원기반학습 ★★

자원기반학습의 필요성 1가지와 자원기반학습을 통해 획득하는 기능 3가지를 제시하시오.

168 자원기반학습 ★★★

자원기반학습에서 활용할 수 있는 학습 자원의 종류 3가지를 제시하시오.

169 자원기반학습 ★

아이젠버그(M. Eisenberg) 외 Big 6 skills 모형에 따를 때 (가) 단계와 가장 관련 있는 인지적 기능의 명칭과, 이 단계에서의 구체적인 학습활동 2가지를 제시하시오.

과제 정의		정보 탐색				정보 활용		통합 정리		평가
• 과제 파악 • 과제 해결 위한 정보 유형 파악	➡	• 정보원 파악 • 정보원 선택	➡	(가)	➡	정보 가려내기	➡	정보 정리	➡	유효성 평가

170 자원기반학습 ★★★

다음을 참고하여 자원기반학습의 장단점 2가지를 제시하시오.

> 자원기반학습에서는 교과서뿐만 아니라 다양한 자원을 활용하는데, 이때 교사가 자원을 제시하기보다는 학습자 스스로가 인터넷 등 다양한 정보원을 통해 학습에 필요한 정보를 탐색하고 정보를 재가공하는 데 초점을 둔다.

171 자원기반학습 ★★★

자원기반학습을 통해 길러지는 기초 소양과 핵심 역량을 2022 개정 교육과정을 통해서 제시하고, 자원기반학습의 목적 달성을 위한 교사의 역할 1가지를 제시하시오.

172 인지적 유연성 이론 ★★

인지적 유연성의 개념과 인지적 유연성을 함양하기 위해 인지구조 속에 형성되어야 하는 것의 명칭을 제시하고, 이것을 형성시키기 위한 구체적 방법 1가지를 제시하시오.

173 인지적 유연성 이론 ★

인지적 유연성을 형성시키기 위한 학습원리 3가지를 제시하시오.

174 인지적 유연성 이론 ★★

다음을 참고하여 인지적 유연성 이론의 장점 2가지를 학습자 측면에서 제시하시오.

> 인지적 유연성 이론에서는 실생활과 관련한 복잡한 사회문제를 제시하고 매체를 활용하면서 사회문제의 다양한 관점과 입장을 제시한다.

175 인지적 도제 이론 ★

인지적 도제 이론의 궁극적 목적과 이 이론에서 제시하는 절차 중 3단계에서의 학습자 역할 1가지를 제시하시오.

〈인지적 도제 이론 학습방법 3단계〉

1단계		2단계		3단계
• 모델링(Modeling) • 코칭(Coaching) • 인지적기반구축(Scaffolding)	➡	• 명료화(Articulation) • 성찰(Reflection)	➡	

03

176 인지적 도제 이론 ★

인지적 도제 이론에 따를 때 1단계에서의 교사의 역할 3가지를 구체적인 예시와 함께 제시하시오.

177 실천공동체

실천공동체 이론에 따를 때 실천공동체의 개념을 제시하고 다음 내용에서 밑줄 친 ㉠에 해당하는 것의 명칭과 이것이 현실화되었을 때 교육적 의의 1가지를 제시하시오.

> 장인(교사 또는 우수학습자)과의 상호작용 속에서 초보자(학습자)는 단순한 관찰자, 주변인의 위치에서 점차 ㉠ <u>실천가 또는 전문가의 위치로 이동</u>하게 된다.

178 상보적 교수이론 ★★

상보적 교수이론을 통해 달성하려는 학습자의 역량 1가지를 제시하고, 이 이론을 적용한 수업에서 주로 활용하는 교수전략 4가지를 제시하시오.

179 상보적 교수이론 ★

다음을 참고하여 상보적 교수이론의 장단점을 각 2가지씩 제시하시오.

> 상보적 교수이론에서는 우수한 학습자를 학생교사로 선정하여 우수한 학습자와 다른 학습자와의 상호작용(대화 · 소통)을 통한 학습을 강조한다. 특히 텍스트를 읽고 이해하고 요약하는 것에 중점을 둔다.

180 목표기반 시나리오 ★

밑줄 친 내용을 참고하여 목표기반 시나리오(Goal-Based Scenarios) 이론의 구성요소 3가지의 명칭을 제시하시오.

> 목표기반 시나리오는 특정 목표를 중심으로 설정된 상황(시나리오)에 학습자를 배치하여 학습을 진행한다. 따라서 명확하게 목표를 진술해야 하고, <u>목표를 설정하기 위해 수행해야 하는 과제</u>를 제시한다. 또한 <u>해당 과제와 관련한 상황 맥락을 이야기 형식으로 설명</u>한다. 한편, <u>학습자가 과제를 해결하는 과정에서 어려움을 겪는 경우 교사는 적절한 도움을 제공</u>한다.

Chapter

03 교수설계

모범답안 & 빈칸암기노트 p.070

181 교수설계의 기초

교수설계와 관련한 다음의 접근방법이 가지는 특징 1가지와 이러한 접근방법의 교육적 효과 2가지를 제시하시오.

수업의 과정은 수업과 관련한 모든 요소들이 복합적으로 작용하는 체제적 과정이다.

182 ISD모형 ★★

교수설계의 가장 일반적이고, 체계적인 절차를 4단계로 제시하시오.

183 ISD모형 ★

교수설계 단계 중 분석단계에서 실시하는 요구분석의 개념을 설명하고 구체적인 요구분석 기법 2가지를 제시하시오.

184 ISD모형 ★

학습과제 분석이 필요한 이유 1가지를 제시하고 각 교사가 다음의 학습과제를 분석하기 위한 구체적인 방법을 각 1가지씩 제시하시오.

> A교사 : 고려시대의 사찰이라는 학습과제의 학습을 위해서 우선 사찰의 명칭과 사찰이 속한 지역의 명칭을 연결하였습니다.
>
> B교사 : 고려시대의 불교의 사회적 · 정치적 영향력을 학습하기 위해서 학생들의 학습 수준을 기본적인 사실 이해, 사실의 적용, 분석, 종합 평가로 단계별로 구분하였고 이에 맞는 학습과제가 무엇인지 분류하였습니다.

185 ISD모형 ★★★

다음의 내용을 참고할 때 학습자를 정확하게 이해하기 위한 구체적인 분석 방법 3가지를 제시하시오.

> 학습자 맞춤형 교육을 위해서는 학습자가 가지고 있는 내적 특성을 이해하고, 학습자에게 영향을 미치는 외적 특성을 이해해야 합니다.

186 교수설계이론 ★

가네(R.M. Gagné)의 교수설계이론에서는 학습자의 학습을 촉진하기 위해 학습자가 갖는 내적 조건을 이해하고 이에 맞는 외적 조건을 제공해야 한다고 본다. 학습자의 내적 조건을 설명하고, 외적 조건 형성을 위한 3가지 기본 원리를 제시하시오.

03

187 교수설계이론 ★★

가네(R.M. Gagné)의 교수설계이론에 따를 때 수업의 도입단계에서 주된 외적 수업사태 3가지를 제시하시오.

188 교수설계이론 ★

가네(R.M. Gagné)의 교수설계이론에 따를 때 밑줄 친 부분과 관련하여 A교사가 수업 전개 단계에서 해야 할 일 2가지를 제시하시오.

> A교사 : 수업 효과를 극대화하기 위해서는 수업 중 교사는 학습자료를 제시하는 것에만 그치는 것이 아니라 ㉠ 학습자료가 학습자의 장기기억에 저장될 수 있도록 해야 하고 ㉡ 학습자료에 대한 학습자의 수행을 유도할 수 있어야 합니다.

189 교수설계이론 ★

가네(R.M. Gagné)의 학습위계이론에 따를 때 학습의 결과로 형성되는 능력 중 위계성을 가지는 능력을 제시하고 이러한 능력과 관련한 가장 기초적인 학습과 가장 심화된 학습을 각 1가지씩 제시하시오.

190 교수설계이론 ★

가네(R.M. Gagné)의 학습위계이론에 따를 때 수업을 통해 형성되는 인지전략의 개념을 제시하고 다음의 내용과 관련한 인지전략의 유형을 2가지 제시하시오.

> A학생은 세계 각국의 수도와 국기를 학습하고자 하였다. 먼저 세계 각국을 대륙별로 구분하였고 아시아와 유럽, 아프리카는 동서, 아메리카는 남북으로 세분화하였고, 거기에 맞게 나라들을 배치하였다. 그리고 나서 지역별로 국가의 명칭, 수도, 국기를 표로 정리하였고 반복해서 암기를 하였다.

191 교수설계이론

라이겔루스(C.M. Reigeluth)의 정교화이론에 따를 때 구체적인 정교화 전략 4가지를 제시하시오.

192 교수설계이론

라이겔루스(C.M. Reigeluth)가 주장한 개념학습의 종류 3가지를 제시하시오.

193 교수설계이론 ★

다음을 참고하여 라이겔루스(C.M. Reigeluth)의 개념학습에서 개념을 획득하기 위한 구체적 교수학습 방법 3가지를 제시하시오.

> 어떤 개념을 학습한다는 것은 해당 개념의 가장 본질적인 특성을 습득했는지부터 출발합니다. 이렇게 일반화된 개념을 습득하고 나면 개념을 정확히 이해했는지 확인하기 위해 다양한 사례들을 제시하고 교사와 학생 간의 상호작용이 이루어지기도 합니다.

194 교수설계이론

라이겔루스(C.M. Reigeluth)의 정교화이론과 메릴(M.D. Merrill)의 내용요소제시이론의 학습 내용에 있어서 가장 큰 차이점 1가지를 설명하고, 학습목표(학습 결과)를 분석하기 위해 메릴이 제시한 방법 1가지를 제시하시오.

195 교수설계이론

메릴(M.D. Merrill)은 내용요소제시이론을 통해 하나의 아이디어를 가르치기 위한 방법을 제시하고 있다. 이때 수업에서 다루고 있는 과제의 유형 4가지를 제시하시오.

196 교수설계이론 ★

메릴(M.D. Merrill)은 사실과 개념 등 단일한 아이디어를 가르치기 위해 설명이나 사례를 제공함과 동시에 교수의 효과성을 높이기 위해 부가적인 자료를 제시할 것을 주장한다. 가르치려는 내용의 정교화를 위한 구체적인 자료 제시 방법 3가지를 제시하시오.

197 교수설계모형

타일러(R.W. Tyler)의 합리적 모형에 근거할 때 교수설계 시 학습경험을 선정하기 위한 일반적 원칙 4가지를 제시하시오.

198 교수설계모형

글레이저(R. Glaser)의 교수설계모형에 따를 때 3단계에서 교사가 계획해야 하는 구체적 실행 전략 3가지를 제시하시오.

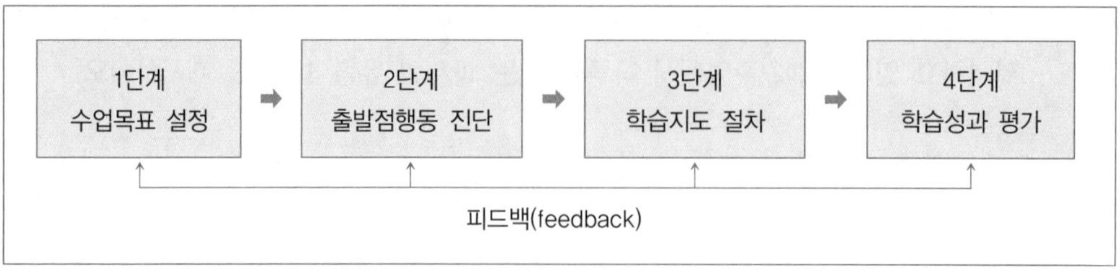

199 교수설계모형 ★

교수설계에 관한 애디모형(ADDIE)의 단계별 명칭과 세부활동을 한 가지씩 제시하시오.

200 교수설계모형

교수설계에 관한 애디모형(ADDIE)의 설계단계에 반영되어야 하는 내용 3가지를 제시하시오.

201 교수설계모형 ★

교수설계에 관한 딕과 캐리(W. Dick & L. Carey) 모형의 교수분석 단계에서 해야 할 분석 내용 2가지를 제시하시오.

202 교수설계모형

교수설계에 관한 딕과 캐리(W. Dick & L. Carey) 모형에서 성취목표를 진술할 때 지켜야 하는 기본 원칙 1가지와 목표에 반영되어야 하는 요소 3가지를 제시하시오.

203 교수설계모형 ★

교수설계에 관한 딕과 캐리(W. Dick & L. Carey) 모형에서 교수전략을 개발할 때 고려해야 할 사항 3가지를 제시하시오.

204 교수설계모형

교수설계에 관한 딕과 캐리(W. Dick & L. Carey) 모형에서 형성평가의 구체적 방법 2가지와 평가의 기준 2가지를 제시하시오.

205 교수설계모형

교수설계에 관한 딕과 캐리(W. Dick & L. Carey) 모형에서 총괄평가를 실시하는 주된 이유와 평가의 중립성 확보를 위한 유의사항 1가지를 제시하시오.

206 교수설계모형

윌리스(J. Willis)의 R2D2모형과 기존 일반적 교수설계모형의 차이점을 근거 이론, 교수목표 설정 시기 측면에서 분석하시오.

Chapter

04 교수매체에 대한 이해

모범답안 & 빈칸암기노트 p.078

207 교수매체 연구 ★

수업에서 교수매체를 활용했을 때 교육적 효과를 학습자 측면에서 2가지 제시하시오.

208 교수매체 연구

교수매체 비교연구에 대해서 설명하고 이 연구 방법의 한계 2가지를 제시하시오.

209 교수매체 모형

벌로(D. Berlo)의 SMCR모형에 따를 때 송신자(교사)가 보내는 메시지에 들어가게 되는 주관적 요소 3가지를 제시하시오.

03

210 교수매체 모형

쉐넌과 쉬람(C. Shannon & W. Schramm)의 커뮤니케이션 모형에 따를 때 의사소통에 영향을 미치는 요소 2가지를 제시하시오.

211 미래형 교수매체 ★

다음을 참고하여 미래형 교수매체의 특징 2가지를 제시하시오.

> 과거에도 교수매체를 활용한 수업은 있었다. 수업 보조자료로서 영상물을 제공하는 것, 교과서가 아닌 교육프로그램을 활용한 것이 바로 그런 수업이었다. 이러한 교수매체는 어디까지나 교사 주도 수업에서 교사를 보조하는 역할이었고, 교과서를 보완하는 것이었다.

212 ASSURE모형 ★

하인니히(R. Heinich) 외 ASSURE모형의 각 단계별 명칭을 제시하시오.

213 ASSURE모형 ★★★

하인니히(R. Heinich) 외 ASSURE모형에 근거할 때 매체와 자료 선정의 기준을 각 2가지씩 제시하시오.

214 ASSURE모형 ★★★

하인니히(R. Heinich) 외 ASSURE모형에 근거할 때 매체 및 자료 활용단계에서 구체적 활동 4가지를 예시와 함께 제시하시오.

215 ASSURE모형 ★★

하인니히(R. Heinich) 외 ASSURE모형에 근거할 때 학습자의 참여를 유도하는 구체적 방법 2가지를 제시하시오.

Chapter

05 교수학습 실행

모범답안 & 빈칸암기노트 p.081

216 강의식 수업 ★★

다음을 참고하여 강의식 수업의 한계 2가지를 제시하고 이 한계를 극복하기 위한 방안 2가지를 제시하시오.

> '22년 교육실태조사에 의하면 수업 방법 중 가장 많이 사용하는 교수방법은 강의식(82.3%)임에도 불구하고 학생들은 강의식에 대한 만족도는 낮은 것으로 나타났다(5점 척도 기준 2.23점). 강의식이 불만족스러운 이유로는 ① '교사의 설명으로만 진행되어 재미가 없다(34.5%)', ② '선생님별 수업의 질이 크게 차이난다(27.8%)'가 가장 많이 제시되었다.

217 문답식 수업 ★

강의식 수업의 보완으로서 문답식 수업의 장점 2가지를 제시하고 장점을 극대화하기 위한 교사의 역할 2가지를 제시하시오.

> A교사 : 현실적 여건상 강의식 수업을 배제할 수는 없습니다. 다만 강의 중에 적절한 문답을 통해 강의식의 한계를 극복할 수 있죠. 특히 설명만 해서 따분하다거나, 지식의 암기만을 강조한다는 한계를 극복한다는 측면에서 문답식 수업의 의의를 찾아볼 수 있습니다.

218 토의토론식 수업 ★

토의토론식 수업 중 A교사가 활용하려는 수업의 명칭과 이 수업의 장점 2가지를 제시하시오.

> A교사 : 예전에 토의토론 수업을 진행하다 보니 토의토론에 직접적으로 참여하는 1명의 사회자, 2~3명의 토론자 외에는 나머지 학생들이 청중에 머물러서 폭넓은 학습자의 참여가 부족한 문제가 있었습니다. 이를 극복하기 위해 올해는 30명의 학급을 3개의 집단으로 나눈 후 집단 내에서 전원이 상호 대등한 관계 속에서 의견을 나누도록 할 예정입니다.

219 협동학습 ★

과거의 단순 소집단 학습과 현대의 협동학습 간의 차이점 3가지를 설명하시오.

220 협동학습 ★

각 교사가 활용하려는 협동학습 방법의 유형을 제시하고 해당 유형이 갖는 장점을 각 1가지씩 제시하시오.

A교사 : 학습과제에 대해 소집단 활동을 하고 쪽지시험을 볼 예정입니다. 쪽지시험의 결과와 이전에 봤던 쪽지시험 결과를 비교하여 개인의 향상점수를 산출하고 이것을 집단점수로 환산하여 우수팀을 선정할 예정입니다.

B교사 : 저는 쪽지시험 대신 게임을 실시할 예정이에요. 특히 집단별로 수준이 비슷한 학생들끼리 모여서 게임에 참여하고 개별 점수가 부여되면 그것을 팀 내 점수로 환산하여 우수 팀을 선정할 것입니다.

221 협동학습 ★

기존의 JIGSAW Ⅰ 모형을 다음과 같이 변형하였을 때 장점 3가지를 제시하시오.

〈변형된 JIGSAW〉

① 소집단에서 각자 맡은 전문영역을 선정한다.
② 집단별 전문가끼리 모여서 전문영역에 대해 학습한다.
③ 전문가들을 대상으로 학습 정도를 간단하게 평가한다.
④ 소집단으로 돌아가 집단구성원들에게 전문영역에 대해 코칭한다.
⑤ 전체 학습 내용을 정리하고 요약한다.
⑥ 평가를 실시하여 개별 향상점수를 산출한다.
⑦ 개별 향상점수를 팀 점수로 환산하여 집단 보상한다.

222 협동학습

자율적 협동학습 모형(Co-op, Co-op)에서 집단별 학습주제를 배분하는 절차를 설명하고 학습결과를 평가하는 방법 3가지를 제시하시오.

223 협동학습 ★★

다음의 특징을 고려했을 때 협동학습의 장단점을 각 2가지씩 제시하시오.

> 특징 : ① 학습자 간 협력을 통한 주체적 과제 해결
> ② 다양한 문제해결 관점과 방법 공유

224 협동학습 ★★

협동학습에서 발생할 수 있는 부정적 효과 3가지를 제시하시오.

225 개별화 학습

크론바흐와 스노우(L. Cronbach & R. Snow)의 개별처방교수방법(ATI)에 근거할 때 수업의 질을 결정하는 요인 2가지를 제시하시오.

226 자기주도학습 ★★

자기주도학습의 개념을 설명하고, 자기주도학습을 유도하는 방법 3가지를 제시하시오.

227 탐구학습 ★

다음의 절차를 따르는 교수학습방법의 장점 2가지와 이때 교사의 역할 2가지를 제시하시오.

안내		가설		정의		탐색		가설검증		일반화
학생·교사의 문제인식	➡	서술적 진술 형성	➡	용어의 일치	➡	증거 탐색	➡	자료를 통해 검증	➡	탐구결과 일반화

Chapter

06 디지털 대전환시대 새로운 교수학습법

모범답안 & 빈칸암기노트 p.085

228 컴퓨터활용 교수법

컴퓨터 보조학습(CAI)의 장점 2가지를 교사 측면과 학습자 측면에서 각 1가지씩 제시하고 이 학습의 구체적 유형 2가지를 제시하시오.

229 컴퓨터활용 교수법

다음에서 설명하는 교수학습 방법의 명칭을 제시하고 이 교수학습 방법의 장점 2가지를 제시하시오.

> 이 교수학습 방법은 온라인상의 학습자들이 직접 기존 자료를 수정하고 공유하면서 공동의 지식을 만드는 수업 방식이다.

230 새로운 교수학습 방법 ★

원격수업의 3가지 유형을 구체적 예시와 함께 제시하시오.

231 원격수업 ★

다음의 특성과 관련하여 원격수업의 장점과 단점을 각 2가지씩 제시하시오.

특징 : ① 교수자와 학습자 간 물리적 격리 ② 다양한 교수매체의 활용

232 새로운 교수학습 방법 ★★

다음의 교수학습 절차를 갖는 수업방식의 명칭을 제시하고, 이 수업방식의 장점 2가지를 제시하시오.

1단계	➡	2단계
온라인 동영상 강의		교실 내 다양한 학습활동

233 에듀테크 활용 교육 ★★★

에듀테크를 활용한 교육의 구체적 실행 방안 1가지, 이러한 교육이 주는 교육적 의의를 학습자 측면에서 2가지 제시하시오.

234 에듀테크 활용 교육 ★★

메타버스를 활용한 수업과 기존 매체 활용 교육 간의 차이점 1가지를 제시하고, 성공적인 메타버스 활용 교육을 위한 조건 2가지를 제시하시오.

235 하브루타 수업 ★

하브루타 수업의 개념을 제시하고 이 수업의 장점 2가지를 학습자 측면에서 제시하시오.

03

236 새로운 교수학습 방법 ★

다음에서 설명하는 수업방식의 명칭과 구체적 운영형태 2가지를 제시하시오.

> 학습자 맞춤형 교육을 실현하거나 교과 간 통합적 내용을 다루기 위해 다양한 교육적 시도가 나타나고 있다. 최근에는 한 수업에는 한 명의 교사가 수업을 담당해야 한다는 관점에서 벗어나, 여러 명의 교사가 협력해서 한 수업 시간에 같이 들어가는 수업 방식도 필요하다는 입장이 나타나고 있다.

✦ 교육평가 및 교육연구방법론 개념인출 문제 개요

영역 구분		문제 번호
이해	기초	237~241
	운영	242~245
유형	기본적인 분류	246~247
	진행 과정에 따른 분류	248~250
	참조준거에 따른 분류	251~254
	평가 영역에 따른 분류	255
	기타 유형	256~260
선정과 활용	문항제작	261~263
	문항분석	264~266
	검사의 양호도	267~274
수행평가	컴퓨터화 검사	275
	수행평가	276~280
	과정중심평가	281~282
	포트폴리오 평가	283
교육연구방법론	연구의 유형	284
	연구의 과정	285~287
	연구의 타당성	288~289

Ⅳ

교육평가 및 교육연구방법론

Chapter

01 교육평가의 이해

모범답안 & 빈칸암기노트 p.090

237 교육평가의 기초

교육평가를 바라보는 관점 중 다음의 내용과 가장 관련 깊은 관점의 명칭을 제시하고 이 관점에 근거한 평가 방법의 장점과 단점을 각 1가지씩 제시하시오.

> 학습의 결과는 양적으로 수치화할 수 있을 때 의미가 있습니다. 평가는 학생의 지식 수준, 기술 수준, 태도, 행동 등을 정량적으로 측정하여 교육과정과 교육프로그램의 효과성을 평가하는 것입니다.

238 교육평가의 기초 ★

총평관에 근거하여 평가를 할 때 평가 내용과 평가 방법을 각 1가지씩 제시하고 이때 평가의 양호도 중 중점적으로 파악해야 하는 사항을 제시하시오.

239 교육평가의 기초 ★

다음의 두 교사가 갖고 있는 교육관의 명칭을 제시하고, 해당 교육관과 부합하는 교육평가 방법을 각 1가지씩 제시하시오.

> A교사 : 우수한 학생을 선발하여 이 학생들을 사회의 인재로 키우는 것이 바람직합니다.
> B교사 : 교육을 통해 누구나 목표를 달성시킬 수 있습니다.

240 교육평가의 기초 ★★★

다음의 내용을 참조할 때 교육평가의 기능 3가지를 제시하시오.

> 2022 개정 교육과정 : 평가는 학생의 교육 목표 도달 정도를 확인하고 학습의 부족한 부분을 보충하며, 교수·학습의 질을 개선하기 위해 실시한다.

241 교육평가의 기초 ★

메타평가의 개념을 제시하고, 메타평가 시 평가의 기준 2가지를 제시하시오.

242 교육평가의 운영 ★★

타당도와 신뢰도 높은 평가를 실시하기 위해 평가의 준비단계에서 해야 할 일 3가지를 제시하시오.

243 교육평가의 운영 ★★

다음과 관련하여 2022 개정 교육과정 총론에서 교육평가 운영 시 지켜야 할 원칙 3가지를 제시하시오.

> 2022 개정 교육과정에서는 교육을 통해 다양한 역량을 함양할 수 있도록 기대한다. 이때 성취기준에 맞게 교육하는 것을 강조하지만 결과적으로 목표달성도만을 확인하기보다는 학생의 성장 과정에 좀 더 초점을 둘 것을 강조한다. 따라서 평가 역시 이러한 강조점을 반영하여 이루어지도록 운영의 원칙을 제시한다.

244 교육평가의 운영

평가를 진행하면서 발생할 수 있는 인상의 오류(후광효과)의 개념에 대해서 구체적인 예와 함께 설명하고, 이를 예방하기 위한 방안 2가지를 제시하시오.

245 교육평가의 운영

평가의 운영 오류 중 다음의 내용과 관련 있는 오류의 종류를 제시하고 이를 예방하기 위한 방안 1가지를 제시하시오.

음악교사인 김 교사는 가창시험에서 탁월한 성적을 거둔 준현이가 음악감상문 작성도 잘했을 것이라 판단하였다.

Chapter

02 교육평가의 유형

모범답안 & 빈칸암기노트 p.093

246 기본적인 분류

일반적인 평가의 분류로서 양적평가의 목적을 제시하고 양적평가를 교육적으로 활용할 때 장점과 단점을 각 1가지씩 제시하시오.

247 기본적인 분류 ★

질적평가의 구체적 방법 1가지와 교육에서 질적평가가 필요한 이유 2가지를 제시하시오.

248 진행 과정에 따른 분류 ★★

진단평가의 목적과 영역을 각 2가지씩 제시하시오.

249 진행 과정에 따른 분류 ★★

평가를 실시 시기에 따라 분류할 때 다음과 관련 있는 평가의 명칭과 수업 중 주로 실시할 수 있는 구체적 방법 2가지를 제시하시오.

> 이 평가는 교수학습 진행 중에 평가를 실시하는데, 주로 학습을 잘 따라오고 있는지 확인하고 이를 보충해주는 목적으로 사용한다.

250 진행 과정에 따른 분류 ★

총합평가(총괄평가)의 개념을 제시하고, 총합평가 실시 시 교사의 유의점을 평가 내용적인 측면에서 2가지 제시하시오.

251 참조준거에 따른 분류 ★★

규준참조평가의 개념을 설명하고, 이 평가 방식의 장점과 단점을 학생 학습의 측면에서 각 1가지 제시하시오.

252 참조준거에 따른 분류 ★★

다음의 특징과 관련하여 준거참조평가가 갖는 장점과 단점을 각 2가지씩 제시하시오.

> 준거참조평가는 최저기준을 목표로 설정하고 평가를 통해 그 목표가 달성되었는지 그렇지 않은지와 관련한 직접적인 정보를 학생과 교사에게 제공해준다. 따라서 학습자들 사이의 상대적 위치에는 관심이 없으며 평가 결과 역시 학습자를 선발하는 데 활용하지 않는다.

253 참조준거에 따른 분류 ★

김 교사가 활용한 평가 유형의 명칭과 해당 유형의 장점과 단점을 각 1가지씩 제시하시오.

> 김 교사는 평소에 100점 받을 실력이 되는데 90점을 받는 지우에 비해, 80점의 실력이지만 85점을 받은 지안이를 높게 평가하였다.

254 참조준거에 따른 분류 ★★

성장참조평가의 개념과 장점 2가지를 제시하시오.

255 평가 영역에 따른 유형 ★★★

정의적 영역에 대한 평가가 필요한 이유 1가지를 제시하고 구체적인 평가 방법 2가지를 제시하시오.

256 기타 평가 유형 ★★

2022 개정 교육과정의 핵심역량 중 학생이 주체가 되는 평가방식을 통해 기를 수 있는 역량의 명칭을 제시하고 구체적인 평가방법 2가지를 제시하시오.

257 기타 평가 유형 ★

학생이 주체가 되는 평가의 장단점을 각 2가지씩 제시하시오.

258 기타 평가 유형 ★★★

학생이 주체가 되는 평가를 위한 교사의 역할을 평가의 준비 – 실행 – 결과 활용 측면에서 각 1가지씩 제시하시오.

259 기타 평가 유형

역동적 평가의 개념을 제시하고 역동적 평가의 장점 2가지를 제시하시오.

260 기타 평가 유형

원격수업 상황에서 평가를 실시할 때 발생할 수 있는 문제점 1가지와 이를 예방하기 위해 준수해야 할 원칙 1가지를 제시하시오.

Chapter

03 교육평가의 선정과 활용

모범답안 & 빈칸암기노트 p.098

261 문항제작

학습자를 평가할 문항을 작성할 때 본격적인 문항제작 전에 교사가 준비해야 할 사항 3가지를 제시하시오.

262 문항제작 ★

학습자 평가를 위한 문항제작 시 문항제작자가 지켜야 할 원칙 3가지를 제시하시오.

263 문항제작 ★★

논 · 서술형 평가의 장점과 단점을 각 1가지씩 제시하고 논 · 서술형 평가의 신뢰도를 높이기 위한 교사의 구체적 실행 방안 2가지를 제시하시오.

264 문항분석

고전검사이론에서의 문항난이도와 문항변별도의 개념을 제시하시오.

265 문항분석

다음 그림을 참고하여 문항반응이론에서의 문항난이도와 문항변별도, 문항추측도의 개념을 설명하시오.

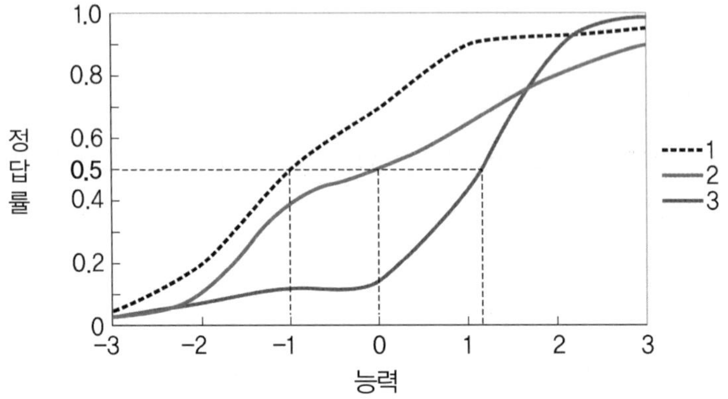

266 문항분석

다음 상황에서 Z점수와 T점수를 계산하시오.

> 100점 만점인 시험에서 70점을 얻었다. 이때 평균은 60점, 표준편차는 10이다.

04

267 검사의 양호도

내용타당도의 개념을 설명하고 내용타당도의 2가지 종류를 제시하시오.

268 검사의 양호도 ★★★

구인타당도의 개념을 설명하고, 구인타당도를 확보하기 위한 구체적인 방법 1가지를 제시하시오.

269 검사의 양호도

다음과 내용과 관련하여 평가의 타당성을 판단하는 기준을 제시하고 이러한 기준을 활용할 때 장점과 단점 1가지를 제시하시오.

> 역사 교사인 장 교사는 학내에서 활용될 새로운 「기초 역사 소양 테스트」를 만들었다. 이 테스트의 타당성을 검증하기 위해 학생들에게 먼저 한국사능력검정시험을 풀게 하였고, 그 결과와 자신이 만든 「기초 역사 소양 테스트」의 결과를 비교하였다.

270 검사의 양호도

검사도구의 타당성을 판단하는 기준으로서 결과타당도의 개념을 예시와 함께 설명하시오.

271 검사의 양호도 ★

신뢰도가 높은 평가가 무엇인지 설명하고, 평가의 신뢰도를 측정하기 위해 다음의 방법을 사용하는 경우 이 방법의 장점과 단점을 각 1가지씩 제시하시오.

> 구 교사는 동일한 검사를 동일한 피험자 집단에게 일정 시간 간격을 두고 두 번 실시하여 얻은 점수의 상관계수를 통해 신뢰도를 측정하였다.

272 검사의 양호도

평가의 신뢰도를 측정하기 위해서 같은 평가를 동일 학습자에게 두 번 실시하다보면 이전의 평가 경험이 기억에 남아 이후 평가에 영향을 미칠 수 있다. 이와 관련한 효과의 명칭을 제시하고 이 효과를 방지하기 위한 신뢰도 측정 방법 2가지를 제시하시오.

273 검사의 양호도 ★★

검사의 양호도로서 객관도의 개념을 제시하고 객관도를 확보하기 위한 방안 2가지를 제시하시오.

274 검사의 양호도

검사의 양호도로 실용도의 개념을 제시하고 실용도를 판단한 때 판단의 기준 2가지를 제시하시오.

Chapter

04 수행평가

모범답안 & 빈칸암기노트 p.102

275 컴퓨터화 검사

다음과 관련한 평가의 명칭을 제시하고 해당 평가 방식의 장단점을 2가지 제시하시오.

> 이 평가는 기존의 선형적 평가 방식이 아니라 학습자의 응답에 따라 다음 문제가 변화하는 평가이다. 문제를 맞히면 더 어려운 문항이, 문제를 틀리면 좀 더 쉬운 문항이 제시되는 형태가 많이 활용된다.

276 수행평가

전통적인 지필평가와 대안적인 수행평가의 차이점을 학습관, 학습자관, 평가 내용 측면에서 분석하시오.

277 수행평가 ★★★

수행평가의 구체적 방법 4가지를 제시하시오.

278 수행평가 ★

다음과 같은 채점방법의 명칭을 제시하고 이 방법의 장단점을 각 1가지씩 제시하시오.

> 수행평가를 통해 학습자의 인지적·정의적 영역을 종합적으로 평가할 때는 채점 요소를 세분화하기보다는 학생 수행의 정도를 종합하여 평가할 수 있다.

279 수행평가 ★★★

수행평가 시 루브릭을 설정하는 이유 1가지와 루브릭을 설정할 때 교사의 유의점 2가지를 제시하시오.

280 수행평가 ★★

수행평가의 장점 2가지, 단점 2가지를 제시하시오.

281 과정중심평가 ★★★

과정중심평가의 개념과 구체적인 과정중심평가 방법 3가지를 제시하시오.

282 과정중심평가 ★★★

결과중심평가와 비교되는 과정중심평가의 특징 2가지와 이로 인한 장점 2가지를 제시하시오.

283 포트폴리오 평가 ★

다음과 관련한 평가 방식의 명칭을 쓰고 이 평가방식의 장점 2가지를 제시하시오.

개인의 작업이나 작품을 모아둔 자료집이나 서류철을 가지고 평가하는 방식을 의미한다.

Chapter

05 교육연구방법론

모범답안 & 빈칸암기노트 p.105

284 연구의 유형

양적연구와 질적연구의 개념을 설명하고 교육현장에서 해당 연구가 필요한 이유를 각 1가지씩 제시하시오.

285 연구의 과정

김 교사가 활용한 다음의 자료수집 방법이 주는 장점과 단점을 각 1가지씩 제시하시오.

김 교사는 자신의 학급 경영에 관한 학부모 만족도를 조사하기 위해 10개의 조사 문항을 작성하고 종례 시간에 학생들에게 나눠주었다.

286 연구의 과정 ★★

다음 연구 방법의 명칭을 제시하고 이 방법을 활용하는 경우 교사의 유의점 2가지를 제시하시오.

> 김 교사는 새로 맡은 학급의 학생들을 이해하기 위해 학생들에게 질문지를 나눠주었다. 질문지에는 학급 내에서 가장 친한 학생이 누구인지를 쓰게 하였다.

287 연구의 과정

어떤 특성의 정도나 수준을 변별하는 방법으로서 다양한 평정법이 활용된다. 각 교사가 활용한 평정법의 명칭과 이 평정법의 장점을 교사별로 각 1가지씩 제시하시오.

○○고등학교에서는 자체 교원평가를 진행하고자 한다. A교사는 자신의 수업에 대한 만족도 조사를 실시하는 데 다음과 같이 질문지를 구성하였다.

Q1. 선생님의 설명은 명확한가요?				
① 매우 그렇다.	② 그렇다.	③ 보통이다.	④ 그렇지 않다.	⑤ 매우 그렇지 않다.

B교사는 교사에 대해 학생이 갖는 주관적 느낌을 측정하기 위해 다음과 같이 질문지를 구성하였다.

Q1. B교사에 대한 느낌은 어떠한가요?								
친절하다.	–	–	–	–	–	–	–	불친절하다.
재미있다.	–	–	–	–	–	–	–	재미있지 않다.

288 연구의 타당성 ★

연구의 내적 타당도의 개념을 설명하고 내적 타당도를 위협하는 요인과 통제 방안을 각 2가지씩 제시하시오.

289 연구의 타당성 ★

연구의 외적 타당도의 개념을 설명하고 외적 타당도를 높이기 위해 표본의 대표성을 제고하는 방법 2가지를 제시하시오.

✦ 교육심리 및 생활지도 · 상담 개념인출 문제 개요

영역 구분		문제 번호
이해	지능	290~293
	창의성	294~298
	자기주도성	299~301
	개인차	302~306
동기	기초	307~308
	행동주의	309
	인본주의	310
	인지주의	311~319
학습자의 발달	발달에 대한 이해	320
	인지적 영역 발달	321~323
	성격 발달	324~326
	사회성 발달	327~328
	도덕성 발달	329~330
교수학습 이해	행동주의	331~333
	인지주의	334~338
	효과적 교수	339
생활지도 및 상담	생활지도 · 진로지도	340~344
	상담	345~349

V

교육심리 및 생활지도·상담

Chapter

01 학습자에 대한 이해

모범답안 & 빈칸암기노트 p.110

290 지능

스피어만(C. Spearman)의 지능이론에 따른 지능의 구성요인 2가지를 제시하시오.

291 지능

카텔(R. Cattell)의 분류에 따를 때 지능의 일반요인을 구분하는 기준과 구분의 유형 2가지를 제시하시오.

292 지능 ★★

가드너(H. Gardner)의 다중지능이론에 따를 때 지능의 개념을 제시하고, 다음의 학생들이 강점이 있는 지능의 명칭을 각각 제시하시오.

> 윤하는 4개 국어를 자유자재로 사용할 수 있으며, 최근에는 스페인어를 새롭게 배우고 있다.
> 가원이는 다른 학생들이 어떤 어려움을 겪는지, 어떤 욕구가 있는지 빠르게 판단할 수 있다.

293 지능 ★★

스턴버그(R. Sternberg)의 삼원지능이론에서 언급하는 지능의 3가지 종류를 지능별 구성요소와 함께 제시하시오.

294 창의성 ★★★

창의성의 개념을 제시하고, 창의성의 특성을 인지적 측면과 정의적 측면으로 나누어서 각 1가지씩 제시하시오.

295 창의성 ★★

창의적 사고가 유발되는 과정을 4단계로 제시하고 창의적 사고 촉진을 위한 교사의 역할을 과정별로 제시하시오.

296 창의성 ★★★

창의성 함양 방법 중 다음과 관련한 방법의 명칭과 이 방법을 적용할 때 준수해야 하는 원칙 3가지를 제시하시오.

어떤 주제에 대해서 이질적인 구성원 6~7명이 30~40분간 자유롭게 토의하면서 새로운 아이디어를 산출하는 방법을 의미한다.

297 창의성 ★

창의성 함양 방법 중 드 보노(E. de Bono)의 PMI기법과 에벌리(B. Eberle)의 SCAMPER에 대해서 설명하시오.

298 창의성 ★★

각 교사가 활용하는 창의성 함양 방법의 명칭을 쓰고 각 방법의 장점 1가지를 제시하시오.

A교사 : 학생들이 서로 다른 6가지 색깔의 모자를 쓰고 각 색깔에 맞는 사고 유형을 표현하게 할 것입니다. B교사 : 유추를 통해 친숙한 것을 새롭게 보도록 할 것입니다.

299 자기주도성 ★★

자기주도성의 개념을 제시하고 교육에서 자기주도성이 중요한 이유를 개인적 측면과 사회적 측면으로 구분하여 각 1가지씩 제시하시오.

300 자기주도성 ★★★

학습자의 자기주도성을 함양하기 위한 방법을 교육목표 선정, 교수방법, 교육평가 방법으로 구분하여 각 1가지씩 제시하시오.

301 자기주도성 ★★★

학습자의 자기주도성 함양을 위해 수업 중 교사가 실시할 수 있는 실행방안 3가지를 제시하시오.

302 학습자의 개인차 ★

학습자의 학습양식에 관한 위트킨(H. Witkin)의 분류에 따를 때 장독립형과 장의존형 학습자의 특징을 1가지씩 제시하고 학생의 동기유발을 위한 전략을 학습자 유형별로 각 1가지씩 제시하시오.

303 학습자의 개인차

콜브(D. Kolb)가 학습자의 학습 유형을 구분할 때 사용하는 기준 2가지를 제시하고 이 기준에 따를 때 준영이가 어떤 학습자인지 분석하시오.

> 준영이는 친구들과 폭넓게 어울리지는 못하지만 자신의 해야 할 일을 분명하게 알고 직접 부딪혀가면서 과제를 수행하는 것을 선호한다.

304 학습자의 개인차

사회경제적 지위(Socio-Economic Status; SES)의 개념을 제시하고 이를 고려한 교육을 실시할 때 교사의 구체적 실행방안 2가지를 제시하시오.

305 학습자의 개인차

영재교육의 방법으로 속진학습과 심화학습의 장단점을 학습별로 각 1가지씩 제시하시오.

306 학습자의 개인차

최근 주의력결핍 과잉행동장애(ADHD)를 보이는 학생들이 늘어나고 있다는 지적이 있다. 이 학생들이 보이는 기본적인 특징 2가지와 이 학생들을 위한 교육방법 2가지를 제시하시오.

Chapter

02 학습자의 동기

모범답안 & 빈칸암기노트 p.116

307 동기이론의 기초

불안(anxiety)의 유형 중 세희가 갖는 불안 유형의 명칭을 제시하고, 이러한 불안이 갖는 순기능과 역기능을 각 1가지씩 제시하시오.

> 세희 : 저는 시험 보는 것 자체는 어렵지 않아요. 그런데 이상하게 수학과목, 특히 도형문제는 긴장되고 어렵다고 느껴져요.

308 동기이론의 기초 ★★★

교육에서 내재적 동기의 개념과 중요성을 제시하고, 내재적 동기를 유발하기 위한 교수전략 2가지를 제시하시오.

309 행동주의 동기이론

헐(C. Hull)의 행동주의 동기이론에 따를 때 행동의 강도를 결정짓는 두 가지 요소를 제시하시오.

310 인본주의 동기이론

매슬로우(A. Maslow)의 욕구위계이론에 따를 때 성장욕구와 결핍욕구의 차이점 2가지를 제시하고, 동은이와 연진이가 결핍되어 있는 욕구의 명칭을 제시하시오.

> 연진 : 나는 친구들을 많이 사귀고 싶은데, 어떻게 사귀어야 하는지 잘 모르겠어. 나도 친구들 하고 놀이동산도 가고 싶어.
>
> 동은 : 나는 친구들 앞에서 인정받는 것을 좋아해. 언제나 발표도 잘하고 싶고 공부도 1등 하고 싶어.

05

311 인지주의 동기이론 ★★

와이너(B. Weiner)의 귀인이론에서 제시하는 귀인분석의 기준 3가지와 이 기준에 근거했을 때 주형이가 실패의 원인으로 지목한 것을 분석하시오.

> 주형 : 난 엄청 열심히 공부하려고 했는데, 지난주에 이사 온 우리 윗집이 너무나 큰 층간소음을 일으켜서 공부에 하나도 집중을 못했어. 그래서 이번 시험을 망친 거야.

312 인지주의 동기이론 ★

한 번도 제대로 체계적인 공부를 해본 적이 없는 지은이를 위한 귀인훈련 전략을 3단계로 제시하시오.

313 인지주의 동기이론 ★★

자아효능감의 개념에 대해서 설명하고, 자아효능감에 영향을 미치는 요인 3가지를 제시하시오.

314 인지주의 동기이론 ★★★

데시와 라이언(E. Deci & R. Ryan)의 자기결정성이론에 따를 때 동기가 유발되기 위해서 충족되어야 하는 기본 욕구 3가지를 제시하시오.

315 인지주의 동기이론

코빙턴(M. Covington)의 자기가치이론에 따를 때 자기가치를 보존하기 위한 두 가지 자기장애 전략과 자기가치 증진 방안 2가지를 제시하시오.

316 인지주의 동기이론 ★★

동기와 관련한 목표지향이론에 따를 때 주연이와 창훈이가 갖는 목표의 유형을 분석하고 해당 목표가 학습에 미치는 영향을 각 1가지씩 제시하시오.

> 주연 : 나는 이 과제가 나에게 얼마나 도움이 되는가에 초점을 두면서 목표를 설정해.
> 창훈 : 나는 우리반에서 제일 유능하게 보일 수 있는 목표를 설정해.

317 인지주의 동기이론 ★

앳킨슨(J. Atkinson) 등을 비롯한 성취동기이론에서 말하는 성취동기의 개념과 성취동기가 낮은 사람과 높은 사람이 과제를 선택할 때 차이점을 제시하시오.

318 인지주의 동기이론 ★★

앳킨슨(J. Atkinson)의 기대가치이론에서 말하는 기대와 가치의 개념을 제시하시오.

319 인지주의 동기이론

다음에서 설명하는 개념의 명칭을 제시하고 이러한 것을 극복하기 위한 방안 2가지를 제시하시오.

> 우리는 학생들을 상담하다 보면 학생들이 자기 딴에는 아무리 노력을 하더라도 좌절스러운 상황에 계속해서 노출되면 노력을 통해 충분히 극복할 수 있는 상황임에도 불구하고 스스로가 포기하게 되는 경우를 종종 볼 수 있다.

Chapter

03 학습자의 발달

모범답안 & 빈칸암기노트 p.121

320 발달에 대한 이해 ★

브론펜브레너(U. Bronfenbrenner)의 생태이론에 따를 때 한승이의 발달에 영향을 미친 체계 3가지를 제시하시오.

> 한승이가 초등학교 1학년에 들어갈 때 한승이의 아버지는 1년간 법적으로 보장된 육아휴직을 하였다. 한승이는 1년간 아버지와 여행도 다니면서 많은 추억을 쌓았고 한승이의 아버지 또한 학부모 위원을 맡아 학교에 적극적으로 참여하였다.

321 인지적 영역의 발달

피아제(J. Piaget)의 인지발달이론에 따를 때 학습자의 인지발달이 나타나게 되는 과정에 대해 설명하시오.

322 인지적 영역의 발달 ★

피아제(J. Piaget)의 인지발달이론에 따를 때 형식적 조작기의 아동이 어떠한 사고를 할 수 있는지 3가지 제시하시오.

323 인지적 영역의 발달 ★★

비고츠키(L. Vygotsky)의 인지발달이론에서 강조하는 근접발달영역(ZPD)의 개념을 쓰고, 이 영역에 있는 내용을 학습하기 위해 교사가 활용할 수 있는 구체적 비계설정(scaffolding)의 유형 3가지를 제시하시오.

324 성격 발달

프로이드(S. Freud)의 심리성적 발달이론에 따를 때 성격의 구조 3가지와 성격이 발달하는 이유를 제시하시오.

325 성격 발달 ★

에릭슨(E. Erikson)의 심리사회적 발달이론에 따를 때 중·고등학생 나이에 해당하는 발달단계의 명칭과 이 단계의 특징 2가지를 제시하시오.

326 성격 발달 ★★★

마샤(J. Marcia)의 정체성 지위이론에 따를 때 학생의 정체성을 판별하는 기준 2가지를 제시하고 경훈이가 현재 어떤 상태인지 설명하시오.

> 경훈이는 자신의 꿈과 끼를 찾기 위해 열심히 고민하고 있지만 아직 무엇을 해야 할지 결정하지 못한 상황이다.

327 사회성 발달 ★

사회성의 개념과 사회성 발달에 영향을 미치는 요인 3가지를 제시하시오.

328 사회성 발달

셀만(R. Selman)의 사회적 조망수용이론에서 말하는 사회적 조망수용능력의 정의를 제시하고 이 이론에 제시한 단계 중 주희가 해당하는 단계의 명칭을 제시하시오.

> 주희 : 오늘 재현이랑 조별과제를 분담하다가 다툼이 있었어요. 저는 재현이가 PPT를 잘 만들어서 그 일을 해줬으면 좋겠다고 했는데, 재현이는 그게 얼마나 시간이 많이 걸리는 일이냐며 화를 내더라고요. 재현이도 다른 과제하느라 바쁠 텐데 제가 너무 제 생각만 한 것 같아서 미안하더라고요.

329 도덕성 발달 ★

콜버그(L. Kohlberg)의 도덕성 발달이론의 의의와 한계를 각 2가지씩 제시하시오.

330 도덕성 발달

길리건(C. Gilligan)의 도덕성 발달이론에서 도덕성 발달 여부 판단 시 가장 중요하게 생각한 기준 1가지, 그리고 이에 따라 구분되는 발달 단계를 제시하시오.

Chapter

04 교수학습의 이해

모범답안 & 빈칸암기노트 p.125

331 행동주의 학습이론 ★

강화의 유형 2가지를 예시와 함께 제시하고, 프리맥(Premack)의 원리에 대해 설명하시오.

332 행동주의 학습이론 ★

처벌의 교육적 순기능과 역기능을 각 1가지씩 제시하고, 처벌 시 교사의 유의점 2가지를 제시하시오.

333 행동주의 학습이론

반두라(A. Bandura)의 관찰학습에서 모델링이 발생하는 과정을 4단계로 제시하시오.

334 인지주의 학습이론

톨먼(E. Tolman)의 쥐 미로실험을 통해서 알 수 있는 인지구조상의 변화를 설명하고, 이를 통해 알 수 있는 교육적 시사점 1가지를 제시하시오.

335 인지주의 학습이론 ★★

앳킨슨(R. Atkinson)과 쉬프린(R. Shiffrin)의 정보처리이론에 따를 때 부호화의 역할에 대해 쓰고, 부호화를 촉진하는 방법 3가지를 제시하시오.

336 인지주의 학습이론

인출의 종류 2가지와 인출을 촉진하기 위한 전략 2가지를 제시하시오.

337 인지주의 학습이론 ★★★

메타인지의 개념을 쓰고 메타인지를 향상시키는 교수방법 3가지를 제시하시오.

338 인지주의 학습이론 ★★★

학습에서 전이의 개념을 쓰고 학습의 전이에 영향을 미치는 요인 2가지를 제시하시오.

339 효과적인 교수 ★★

교사효능감의 정의를 쓰고 교사효능감이 중요한 이유 2가지를 제시하시오.

Chapter

05 생활지도 및 상담

모범답안 & 빈칸암기노트 p.128

340 생활지도

생활지도의 기본원리 4가지를 제시하시오.

341 생활지도

생활지도의 목적과 대상을 제시하고 생활지도의 주요 활동 2가지를 제시하시오.

342 진로지도

진로지도의 방법 4가지를 제시하시오.

343 진로지도

홀랜드(J. Holland)의 6각형 모형에서 제시하는 성격유형 6가지를 제시하시오.

344 진로지도 ★

블라우(P. Blau)의 사회학적 이론에서 말하는 학생의 진로결정에 영향을 주는 요인 3가지를 제시하시오.

345 학생 상담

기말시험을 망친 혜정이와 수빈이가 갖는 방어기제의 명칭을 제시하시오.

> 혜정 : 뭐, 시험 망칠 수도 있지. 근데 나는 이번에 전국체전 금메달을 땄는걸. 내가 잘하는 것을 해야지.
> 수빈 : 이번 시험 직전까지 코로나 때문에 학교도 못 가고 공부도 제대로 못 했어. 그러니까 시험을 망친 거야.

346 학생 상담

성공적인 상담의 기본 요건 4가지를 제시하시오.

347 학생 상담

아들러(A. Adler)의 개인심리상담이론에 따를 때 다음에서 제시하는 것의 명칭을 쓰고, 상담을 통해 내담자에게 형성되도록 기대하는 목표를 제시하시오.

> 신체적 · 심리적 · 사회적 또는 그 밖의 상태나 조건이 다른 사람보다 약하거나 낮거나 부족하다고 느끼고 생각하는 심리적 상태

05

348 학생 상담 ★

엘리스(A. Ellis)의 합리적-정서적 행동치료(REBT)에 따를 때 내담자가 부적절한 행동을 하는 이유, 이를 해결하기 위한 구체적 방법을 제시하시오.

349 학생 상담 ★

로저스(C. Rogers)의 상담이론에서 가정하는 인간관, 목표, 상담자의 역할을 제시하시오.

✦ **교육행정** 개념인출 문제 개요

영역 구분		문제 번호
총론	의의	350
	발달사	351~353
동기이론	내용이론	354~356
	과정이론	357~359
지도성이론	관점변화	360~364
	최근의 지도성 이론	365~368
조직론	조직 유형	369~374
	조직 문화 & 풍토	375~378
	조직 관리	379
의사소통	이해	380~381
	모형	382~383
실제	교육기획	384~386
	교육정책 결정	387~390
	국가와 지역 협력	391~393
	전문성 향상	394~399
	인사행정	400~401
	교육재정	402~404
	교육법	405
학교 및 학급 경영	학교 경영	406~407
	학급 경영	408~409

Ⅵ

교육행정

Chapter

01 교육행정 총론

모범답안 & 빈칸암기노트 p.134

350 교육행정의 의의

A교사의 의견과 관련한 교육행정의 성격 1가지, B교사의 의견과 관련한 교육행정의 원리 3가지를 제시하시오.

> A교사 : 교육부나 교육청은 이제 과거처럼 지휘, 통제, 감사 중심에서 벗어나 학교 현장을 지원해주는 역할을 확립해야 합니다. 그러기 위해서는 최대한 권한을 지방과 학교에 이양하는 것이 필수적이지요.
>
> B교사 : 맞습니다. 교육행정의 주체는 이제 학교여야 하는 것이지요. 다만 학교 내에서도 교장·감 중심의 행정이 아닌 일반 교사들이 폭넓게 참여할 수 있도록 해야 하고, 초·중등교육법 등 법의 테두리 안에서 자유롭게 학교를 운영할 수 있도록 해야 합니다.

351 교육행정의 발달사

학교가 가지는 관료제적 특성 4가지를 제시하시오.

352 교육행정의 발달사

과학적 관리론과 인간관계론의 차이점을 추구하는 가치, 강조하는 조직의 형태, 동기유발 방안 측면에서 각 1가지씩 제시하시오.

353 교육행정의 발달사

교육행정에 대한 체제이론에 따를 때 학교가 가지는 성격, 학교에 영향을 미치는 사회체제 3가지를 설명하시오.

Chapter

02 동기이론

모범답안 & 빈칸암기노트 p.136

354 동기의 내용이론

매슬로우(A. Maslow)의 욕구위계론에서 결핍욕구와 성장욕구의 특징 각 1가지, 이론의 한계점 2가지를 제시하시오.

355 동기의 내용이론 ★

허즈버그(F. Herzberg)의 2요인설에서 동기요인과 위생요인의 개념을 학교 현장의 사례와 함께 제시하시오.

356 동기의 내용이론

매슬로우(A. Maslow)의 욕구위계이론과 다른 앨더퍼(C. Alderfer)의 ERG이론의 특징 3가지를 제시하시오.

357 동기의 과정이론 ★

브룸(V.H. Vroom)의 기대이론에 근거하여 교원성과급제가 교사의 직무 동기를 유발하는 과정을 설명하시오.

> 김 교사는 올해에도 기초학력보장 업무를 담당하게 되었다. 전년도에 이 업무에 충실히 임한 결과 학교 내 학습지원 대상 학생 비율이 직전 해 대비 30% 이상 감소하였고, 그 결과 저연차임에도 제일 높은 성과등급을 받아 한 달치 보수에 해당하는 성과급을 받았다. 이 결과에 만족스러웠던 김 교사는 올해에도 직무 동기가 높은 편이다.

358 동기의 과정이론

애덤스(J. Adams)의 공정성이론에 따를 때 개인이 행동을 결정하는 기준을 설명하고, 공정성을 회복하기 위한 개인의 전략 3가지를 제시하시오.

359 동기의 과정이론

로크(E. Locke)의 목표설정이론에 따를 때 성공적인 목표의 조건 4가지를 제시하시오.

Chapter

03 지도성이론

모범답안 & 빈칸암기노트 p.138

360 지도성의 관점변화

교실에서의 교사 지도성(teacher leadership)의 개념을 제시하고, 지도성에 대한 특성적 접근과 행동적 접근에 따라 교사지도성을 설명하시오.

361 지도성의 관점변화

오하이오 주립대학의 연구결과에 따라 지도자의 행위를 구조중심, 배려중심으로 구분할 때 A중학교의 김 교장이 보여주는 행동의 유형을 제시하시오.

A중학교의 김 교장은 일선 교사들에게 지시를 하기보다는 편안한 분위기에서 자유롭게 일을 하도록 유도한다. 보고 시에도 일상적인 업무는 카톡으로 보고하게 하는 등 보고 과정도 간소하게 운영한다.

362 지도성의 관점변화 ★

피들러(F. Fiedler)의 상황이론에 따를 때 빈칸 A에 들어갈 용어, 이것에 영향을 미치는 요인 3가지를 제시하시오.

> 피들러(F. Fiedler)에 따르면 지도성은 지도자의 동기에 의해 결정되며, 조직의 효과는 지도자로 하여금 집단에 대하여 영향력을 발휘할 수 있도록 하는 정도인 [A] 정도에 따라 달라진다고 본다.

06

363 지도성의 관점변화 ★

허쉬와 블랜차드(P. Hersey & K. Blanchard)의 상황적 지도성 이론에서는 지도성에 영향을 주는 상황을 '구성원의 성숙도'로 설명한다. 구성원 성숙도에 영향을 미치는 요인 2가지를 제시하고, 이 이론의 의의 1가지를 제시하시오.

364 지도성의 관점변화

커와 저미어(S. Kerr & J. Jermier)의 리더십이론에서 구분하는 상황의 모습 2가지, 상황에 영향을 미치는 요인 3가지를 제시하시오.

365 최근의 지도성 이론 ★

변혁적 지도성(transformational leadership)과 거래적 지도성(transactional leadership)의 차이점을 의사소통 방식, 보상 방식, 변화에 대한 태도 측면에서 제시하시오.

366 최근의 지도성 이론 ★★

다음과 관련한 지도성의 명칭과 이러한 지도성이 교육현장에서 필요한 이유 2가지를 교장과 교사 측면에서 제시하시오.

> 이 지도성은 전통적 방식에 의해 통제되는 조직의 비효율성을 극복하기 위해 구성원들의 자발적 지도성을 개발하고 활용하려는 관점이다. 즉, 구성원들이 스스로 지도자로 성장할 수 있도록 도와주는 지도성이라고 할 수 있다.

367 최근의 지도성 이론 ★

서지오반니(T.J. Sergiovanni)의 학교지도성 유형에 따를 때 가장 높은 수준의 지도성으로 강조한 지도성의 명칭과 특징, 교장의 모습을 제시하시오.

368 최근의 지도성 이론

다음과 관련한 지도성의 명칭과 각 지도성이 학교 현장에 주는 의의 1가지를 제시하시오.

> A 지도성은 여러 사람과 집단이 한 개인에게 부여해 왔던 리더십 책임을 대체하거나 공유하자는 입장을 의미한다. B 지도성은 다른 사람들의 신념과 가치, 행동, 성취에 대해 강하고 확산적인 영향력을 행사할 수 있는 지도자의 비범한 능력과 관련된 지도성을 의미한다.

Chapter

04 조직론

모범답안 & 빈칸암기노트 p.142

369 조직 유형 ★★★

학교에서 비공식조직이 주는 순기능 2가지와 역기능 2가지를 제시하시오.

370 조직 유형

학교조직이 어떤 특성을 갖는지 파슨스(T. Parsons)의 사회적 기능 유형과 블라우와 스캇(P. Blau & R. Scott)의 1차적 수혜자 유형에 따라 설명하시오.

- 파슨스(T. Parsons)는 사회체제가 유지・발전되기 위해 수행해야 하는 4가지 기능을 제시하였고, 이러한 기능을 수행하는 조직을 유형화하였다.
- 블라우와 스캇(P. Blau & R. Scott)은 조직 활동의 주요 수혜자가 누구인가에 따라 조직을 분류하였다.

371 조직 유형

칼슨(R. Carlson)이 조직을 구분할 때 활용한 기준 2가지, 이러한 기준에 따를 때 우리나라의 고교평준화 정책에 따른 일반 고교가 어느 조직에 해당하는지 설명하시오.

372 조직 유형

코헨(D. Cohen) 등이 언급한 조직화된 무질서 조직의 특징 3가지와 학교 조직이 이에 해당하는지 설명하시오.

373 조직 유형 ★★★

전문적 학습공동체의 주요 활동 2가지와 전문적 학습공동체의 장점 2가지를 제시하시오.

374 조직 유형

센지(P.M. Senge)가 말한 학습조직의 기본원리 5가지를 제시하시오.

375 조직 문화 및 풍토

세시아와 글리나우(N. Sethia & M. von Glinow)가 조직 문화를 구분하는 기준 2가지, 이 기준에 따른 문화 유형 4가지를 제시하시오.

376 조직 문화 및 풍토 ★

하그리브스(D. Hargreaves)가 구분한 5가지 학교문화에 대해 설명하시오.

377 조직 문화 및 풍토 ★

핼핀(A. Halpin)과 크로프트(D. Croft)는 OCDQ에 따라 학교풍토를 6가지로 구분하였고 이후 개정된 OCDQ를 통해 학교풍토를 4가지로 수정하였다. 이때 수정된 4가지 학교풍토에 대해 설명하시오.

378 조직 문화 및 풍토

윌로워(D. Willower)가 학교 풍토를 분석하기 위해 사용한 기준 1가지, 이 기준에 따를 때 구분되는 학교풍토의 유형 2가지를 제시하시오.

379 조직 관리 ★★

학교 조직 내에서 발생할 수 있는 갈등의 순기능 2가지, 역기능 2가지를 설명하시오.

Chapter

05 의사소통

모범답안 & 빈칸암기노트 p.146

380 의사소통

학교 조직 내에서 교사 간 발생할 수 있는 의사소통의 유형 2가지, 각 유형에서 원활한 의사소통을 방해하는 요인 각 1가지를 제시하시오.

> A교사 : 교사는 자신의 수업을 책임지는 한 명의 전문가로서 자신의 전문성을 쌓기 위해 동료 교사들과 협업하기도 하지만, 관료제의 구성원으로서 관리자들에게 업무 내용을 보고하는 역할도 수행합니다.

381 의사소통

의사소통 기법 중 하나로서 조해리(Johari)의 창에서 언급하는 가장 효과적인 의사소통의 방식과 이것의 특징을 설명하시오.

382 의사소통

브리지스(E. Bridges)의 참여적 의사결정 모형에서 구성원의 참여를 결정하는 기준 2가지, 다음의 상황에서 허용되는 참여의 범위를 제시하시오.

> A중학교가 학교자율시간 운영 기간을 결정하고자 한다. 학교자율시간은 올해 처음 시작되는 제도이며 A중학교는 소규모학교이고 그마저도 대부분이 1~2년차 교사라 자율적 교육과정 운영의 경험이 부족하다.

383 의사소통 ★

호이와 타터(W. Hoy & C. Tarter)의 참여적 의사결정 모형에 따를 때 A, B 상황에서 나타날 수 있는 의사결정의 형태와 이때 리더의 역할을 제시하시오.

> A 상황 : 구성원들이 관련성과 전문성을 갖고 있고 조직에 대한 신뢰가 부족한 상황
> B 상황 : 구성원들이 전문성을 가지고 있으나 관련성은 없는 상황

Chapter

06 교육행정 실제

모범답안 & 빈칸암기노트 p.148

384 교육기획

교육기획의 정의와 교육기획의 효용성 3가지를 제시하시오.

385 교육기획

다음과 관련하여 교육기획을 할 때 준수해야 하는 원리 2가지, 접근방법 2가지를 제시하시오.

> 교육은 사회적인 파급력이 크기 때문에 교육기획 시 사회의 수요 등을 반영하고 이때 다양한 이해관계인의 의견을 반영해야 할 것이다. 또한 공교육이라는 특성상 국가의 세금을 통해서 운영되므로 제한된 자원 내에서 최대의 효과를 낼 수 있도록 기획해야 한다.

386 교육기획

학교에서 차년도 업무계획을 수립하는 경우 (가)와 (나) 단계에서 하는 구체적 역할 각 1가지를 제시하시오.

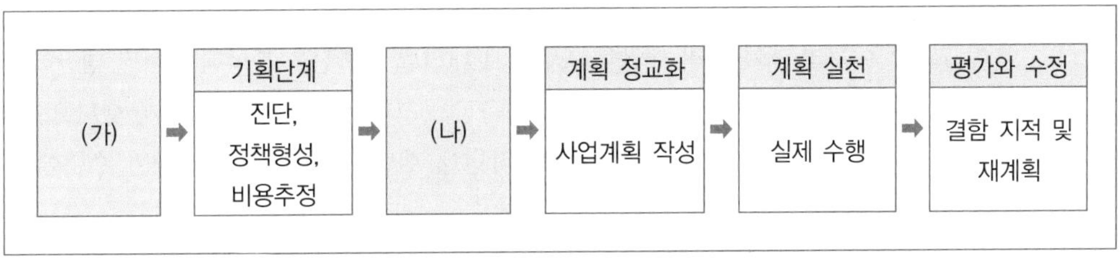

387 교육정책 결정

교육정책 결정 모형 중 A와 B 모형의 장점과 단점을 모형별로 각 1가지씩 제시하시오.

A 모형 : 문제를 확인하고 대안별 장단점을 완벽하게 정리하고 최선의 대안을 마련하는 모형
B 모형 : 인간의 문제해결능력, 사용 가능한 시간·자원 등이 제한되어 있으므로 적당히 순응 가능한 대안을 마련하는 모형

388 교육정책 결정 ★

다음의 상황과 관련된 교육정책 결정 모형의 명칭과 이 모형의 의의와 한계를 각 1가지씩 제시하시오.

> 이 교사 : 아무리 제가 여러 대안을 마련해서 대안별 장단점을 분석해서 어떤 대안이 좋다고 얘기해보았자, 우리 교장선생님은 늘 "그래서 작년에는 어떻게 했나요?"라고만 물어보십니다. 그리고 결국엔 작년에 했던 것에서 조금만 바뀐 수준에서 학교 계획이 결정되죠.

389 교육정책 결정 ★★

다음에서 설명하는 정책결정의 모형과 이러한 정책결정이 학교라는 조직에서 주로 나타나는 이유를 학교조직의 특성 측면에서 제시하시오.

> 일반적인 관료제의 형태와 다른 학교에서는 정책결정이 일반적인 형태와 다르게 나타나기도 한다. 특히, 위기상황이거나 오랫동안 해결되지 못했던 문제들이 합리적인 의사결정, 참여를 통한 의사결정을 통해서 해결되는 것이 아니라 우연히 해결되는 경우가 종종 발생한다.

390 교육정책 결정 ★

교육정책의 효과를 평가할 때 활용할 수 있는 평가 기준 3가지를 제시하시오.

391 국가와 지역이 함께하는 교육 ★

2022 개정 교육과정에서 개별 중학교가 자율성을 발휘할 수 있도록 규정한 내용 2가지를 제시하시오.

392 국가와 지역이 함께하는 교육 ★★

지역과 협력하는 교육이 가져다주는 긍정적 효과 2가지와 이를 극대화하기 위한 지원방안 2가지를 제시하시오.

> 최근 지역과 협력하는 교육이 강조되면서 교육의 모습이 다양해지고 있다. 지역 내 문화유산이나 지역 문화시설을 교육적으로 활용하는 경우도 있고, 방과후학교나 일일 특강 등을 통해 지역 전문가를 활용하는 교육도 자주 찾아볼 수 있다.

393 국가와 지역이 함께하는 교육

단위학교의 자율적 학교운영을 활성화하기 위한 국가수준(교육부)과 지역수준(교육청)의 지원 방안을 각 2가지씩 제시하시오.

394 교원의 전문성 향상

장학에 대한 관점 중 역할로서의 장학이 갖는 한계점 1가지, 과정으로서의 장학이 갖는 의의 2가지를 제시하시오.

> 역할로서 장학을 보는 관점은 누가 장학을 하는가에 초점을 두며 이때 장학 형태는 상급행정 기관 중심의 관리장학으로 나타난다. 반면, 과정으로서 장학은 장학의 주체에 관심이 있기보다는 학교 현장의 변화를 위해 어떻게 장학이 나타나는가에 관심이 있다.

395 교원의 전문성 향상 ★★★

학교가 자율적으로 실시하는 장학의 의의 2가지, 한계 1가지를 제시하시오.

396 교원의 전문성 향상 ★

다음과 관련한 수업장학의 유형을 제시하고, 이러한 장학의 장점 2가지를 제시하시오.

> 정식수업(40~50분)보다 축소한 연습 수업(7~20분)으로 영상을 촬영하고 영상을 돌려보면서 수업 기술 향상에 초점을 둔 장학 방법

397 교원의 전문성 향상 ★

다음과 관련하여 최근 학교 현장에서 나타나는 수업장학의 특징 2가지와 수업장학의 성공을 위한 조건 2가지를 제시하시오.

> 과거의 수업장학은 마치 수업에 문제가 있는 교사를 대상으로 관리자들이 실시하는 지시·통제의 과정이라고 할 수 있었습니다. 그러나 최근에는 교수의 질 향상에 공감하는 사람들이 모여서 서로 가진 수업 노하우를 공유하고 전문적 의견을 들어보는 과정으로 변모했다고 할 수 있습니다.

398 교원의 전문성 향상 ★★★

학교현장에서 나타날 수 있는 동료장학의 유형 2가지, 동료장학의 순기능 2가지를 제시하시오.

399 교원의 전문성 향상

외부 전문기관을 통한 장학을 실시할 때 준수해야 하는 원리 2가지, 이러한 장학의 활성화를 위한 지원방안 2가지를 제시하시오.

> 다양한 형태의 수업이 등장하게 되면서 교수의 질을 높이기 위한 장학의 형태도 이전보다 다양해지고 있다. 문제가 발생한 경우 교육청 주도로 이루어지던 과거의 장학에서 탈피하여 교원들 스스로의 필요에 의해서 외부 전문기관을 찾고 그들로부터 전문적인 장학을 요청하는 경우도 찾아볼 수 있다.

400 교원인사행정

교육공무원법에 근거할 때 교원의 의사와 상관없이 임용권자가 휴직을 명해야 하는 상황 2가지, 교원의 의사가 있는 경우 임용권자가 휴직을 명해야 하는 상황 1가지를 제시하시오.

401 교원인사행정

교육공무원법 및 교원 등의 연수에 관한 규정에 따라 시행되는 교원능력개발평가의 순기능 2가지와 역기능 1가지를 제시하시오.

402 교육재정

교육재정의 운영 원리를 교육재정의 4가지 영역별로 각 1가지씩 제시하시오.

403 교육재정

품목별 예산제도의 장점과 단점을 각 1가지씩 제시하시오.

404 교육재정

다음과 같은 예산제도의 명칭과 장단점 각 1가지를 제시하시오.

> A고등학교는 연구학교 운영비로 1,000만원의 특별교부금을 받게 되었다. 교사들은 이전 년도에 편성됐던 방식으로 예산을 편성하고자 했는데, A고등학교 박 교장은 전년도 예산에 구애받지 말고 사업을 전면 재검토하여 우선순위를 새롭게 설정하고 예산을 편성할 것을 교사들에게 요구하였다.

405 교육법

학교에서 발생할 수 있는 안전사고의 종류 2가지, 이를 방지하기 위한 학교 차원의 예방 방안을 제시하시오.

Chapter

07 학교 및 학급 경영

모범답안 & 빈칸암기노트 p.155

406 학교 경영

목표관리제(MBO)의 개념과 장점 1가지를 제시하고 학교에서 나타날 수 있는 목표관리제의 유형을 설명하시오.

407 학교 경영 ★

학교운영위원회의 순기능 1가지와 학교운영위원회의 운영상 발생할 수 있는 문제점 2가지를 제시하시오.

408 학급 경영 ★★

성공적인 학급 경영의 원리 2가지와 교사의 태도 2가지를 제시하시오.

409 학급 경영 ★

학급 경영을 위한 기초조사 단계에서 분석할 수 있는 내용 2가지를 분석의 방법과 함께 제시하시오.

✦ **교육사회** 개념인출 문제 개요

영역 구분		문제 번호
기본적 이해	이해	410
교육사회학 이론	기능론	411~415
	갈등론	416~424
	미시적 접근	425~433
교육과 평등	학력상승	434~436
	사회이동	437~438
	교육평등론	439~440
	기초학력 보장	441~443
교육과 경쟁	선발과 시험	444~447
	학업성취와 격차	448~449
교육과 문화	기본적 이해	450
	비행이론	451~453
평생교육		454~455
다문화교육		456

Ⅶ

교육사회

Chapter

01 교육사회학의 기본적 이해

모범답안 & 빈칸암기노트 p.160

410 교육사회학의 기본적 이해

교육사회학을 연구하는 이유 1가지, 교육사회학 연구가 다음과 같은 흐름으로 진행된 것이 가져다주는 의의 1가지를 제시하시오.

> 1907년 교육사회학이 등장하였을 때는 사회학의 지식을 교육현장에 응용하려는 실천지향적 연구의 모습을 하고 있었다. 이후 1950년대 교육에 대한 사회과학적 탐구를 통해 교육의 사회학이라는 형태로 독자화되었다. 이후에는 기존 연구들이 거시적 관점에만 매몰되었다는 지적에 따라 교육과정과 수업, 교사·학생 간의 상호작용에 중점을 둔 미시적 관점으로까지 연구의 범위가 확대되었다.

Chapter

02 교육사회학 이론

모범답안 & 빈칸암기노트 p.161

411 기능론적 접근

기능론적 관점에 따른 사회관, 부분 간의 관계, 불평등의 발생 이유에 대해서 설명하시오.

412 기능론적 접근 ★

기능론적 관점에 따른 학교의 기능 3가지를 제시하시오.

413 기능론적 접근

다음을 언급한 학자가 언급한 사회화의 형태 2가지, 사회화를 위해 강조한 교육의 형태 및 이때 교사의 역할을 제시하시오.

> 교육은 사회생활을 위한 준비를 완료하지 못한 어린 세대에 대한 성인 세대의 영향력의 행사이다. 따라서 사회의 주된 가치와 신념을 내면화하는 교육이 필요하다.

414 기능론적 접근

파손스(T. Parsons)는 사회체계가 안정상태를 유지하기 위해 필요한 4가지 기능을 언급했다. 4가지 기능이 무엇인지 제시하고 학교가 주로 어느 기능을 수행하는지 설명하시오.

415 기능론적 접근 ★

기능론에 입장에서 학교에서 규범교육이 필요한 이유 1가지를 제시하고 다음의 교육을 통해 길러지는 사회적 규범이 드리븐(M. Dreeben)이 말한 4가지 사회적 규범 중 어느 것에 해당하는지 제시하시오.

> #1. 김 교사는 학생들의 과제수행 과정을 관찰하고 수행결과와 종합하여 가장 열심히 노력한 학생에게 가장 높은 성적을 부여하였다.
> #2. 이 교사는 중학교 1학년 5개 반 학생들에게 동일한 과제를 제공하였고 동일한 규칙에 따라 협동학습을 하도록 하였다.

416 갈등론적 접근 ★

갈등론적 관점에 따른 학교의 기능 2가지와 이러한 관점의 한계 2가지를 제시하시오.

417 갈등론적 접근

알튀세르(L. Althusser)의 이데올로기 재생산이론에서 가정하는 학교의 역할과 의무교육의 기능 1가지를 제시하시오.

> 알튀세르(L. Althusser)는 하부구조인 토대를 경제, 상부구조를 억압적 국가기구(RSA ; Repressive State Apparatus)와 이념적 국가기구(ISA; Ideological State Apparatus)로 구분하였다.

418 갈등론적 접근

보울즈(S. Bowles)와 긴티스(H. Gintis)는 노동과 교육이 대응(correspondence)된다고 보면서 학교를 차별적 사회화의 기관이라고 본다. 차별적 사회화의 개념을 제시하고, 노동과 교육이 대응되는 점 3가지를 제시하시오.

07

419 갈등론적 접근

부르디외(P. Bourdieu)의 문화적 재생산이론에서 가정하는 학교의 역할 1가지, 학교가 이러한 역할을 수행하게 되는 이유 1가지를 제시하시오.

> 음악 감상 시험, 감상문을 제출하고자 할 때 우리는 트로트, 대중가요에 대해서 다루지 않는다. 누구도 이러한 방식에 대해서 의구심을 가지지 않는다. 학교라면 당연히 클래식을 가르쳐야 한다고 믿고 대중가요를 다루는 것을 '희한한 일'이라고 치부한다. 클래식 문화에 친화적인 학생의 성적이 높게 나오는 것은 어찌 보면 당연한 일인 것이다.

420 갈등론적 접근 ★

프레이리(P. Freire)가 언급한 은행예금식 교육과 문제제기식 교육의 개념과 차이점 2가지를 제시하시오.

421 갈등론적 접근

학교에 비판적인 급진적인 학자들은 학교를 폐지할 것을 주장한다. 이러한 입장에서 학교에 대한 대안으로 제시하는 것과 이러한 대안의 특징 3가지를 제시하시오.

422 갈등론적 접근

애플(M. Apple)이 문화적 헤게모니론에서 언급한 헤게모니의 개념과 헤게모니가 학교교육을 통해 그대로 전달되는 것을 방지하기 위해 교사에게 필요한 역할 1가지를 제시하시오.

423 갈등론적 접근

윌리스(P. Willis)의 저항이론에 근거하여 다음의 상황을 설명하시오.

> 싸나이(lads)의 기질을 가진 학생들은 공식적 학교문화를 따르는 것은 순응적인 것이고 얌전이가 되어 작은 성공을 해도 별 볼 일 없는 것이라고 보고, 학교에 깊은 불신을 가진 반학교문화를 가지게 된다. 그러면서 정신노동의 필요성과 경쟁적 개인주의를 거부하는데, 이러한 문화에도 불구하고 대안적 사회질서를 창출하지 못하고 기존 질서안에 머물면서 스스로 육체노동직을 선택하게 된다.

424 기능론과 갈등론

사회현상에 대한 기능론적 관점과 갈등론적 관점의 공통점 1가지를 제시하고, 양 관점의 차이점을 학교의 역할과 선발제도의 측면에서 각 1가지씩 제시하시오.

425 미시적 접근

교육사회 현상에 대한 기능론과 갈등론에 대한 비판으로서 신교육사회학이 가지는 특징을 연구대상, 연구목적, 연구방법의 측면에서 각 1가지씩 제시하시오.

426 미시적 접근

상징적 상호작용이론을 비롯한 미시적 관점에 따른 교육현상 연구 방법론이 가지는 시사점과 한계를 각 1가지씩 제시하시오.

427 미시적 접근 ★

하그리브스(D. Hargreaves)가 언급한 교사의 유형 3가지를 제시하시오.

428 미시적 접근

다음의 학생들을 하그리브스(D. Hargreaves)의 학생적응양식에 따라 분류하시오.

> 민주는 학교에서 시키는 대로만 하면 중간 이상은 할 것이라는 믿음으로 충실히 학교생활을 한다. 정훈이는 어차피 학교는 나중에 좋은 대학을 가기 위한 수단이라고 생각해 학교에 적응해 나간다. 진홍이는 학교에 다니기는 하지만 아무런 의욕이 없다. 민호는 학교의 규칙과 문화에 대해 반발하면서 새로운 규칙과 문화를 만들기 위해 자신의 뜻을 같이 하는 친구들을 모으고 있다.

429 미시적 접근

번스타인(B. Bernstein)의 언어사회화 이론에 근거하여 계급 간 학업성취의 차이가 나타나는 이유를 설명하시오.

430 미시적 접근

번스타인(B. Bernstein)이 교육과정을 구분할 때 사용한 기준 2가지에 따라 다음의 교육과정을 분석하고, 해당 교육과정에 적합한 교수법으로서 번스타인이 제시한 교수법의 명칭을 제시하시오.

> 과목 간, 전공 분야 간, 학과 간 상호관련이나 교류가 활발히 일어나, 교육의 자율성이 크게 부각되고 교사와 학생에게는 많은 재량권이 부여된다.

431 미시적 접근

맥닐(L. McNeil)이 제시한 방어적 교수법의 유형 4가지를 제시하고, 이러한 연구가 가지는 교육적 의의 1가지를 설명하시오.

432 미시적 접근

다음과 같은 기준으로 학생을 범주화하는 경우 나타날 수 있는 악영향 2가지를 사회와 학습자 측면에서 제시하시오.

> 케디(N. Keddie)는 「Classroom Knowledge」를 통하여 교실에서의 교사와 학생 간 상호작용, 교사가 학생을 분류하는 방법에 대해 분석하였다. 논문에서는 교사가 학생들을 사회적 계급과 능력에 따라 구분하는 것을 주장한다.

433 미시적 접근

우즈(P. Woods)가 언급한 학교 내부에서 교사의 사회적 지위를 유지하고 학생들과의 관계를 적극적으로 관리하면서 교육과정 운영에 도움이 되는 교사의 생존전략을 설명하시오.

Chapter

03 교육과 평등

모범답안 & 빈칸암기노트 p.169

434 학력상승 ★

학력상승의 원인에 관해 기능론적 입장에서 3가지를 설명하시오.

435 학력상승

콜린스(R. Collins)의 지위경쟁이론에 근거할 때 학력상승이 나타나는 이유를 설명하고 이러한 입장이 가지는 한계 2가지를 제시하시오.

436 공교육의 확대와 대안교육

대안학교의 4가지 유형에 대해서 설명하시오.

437 사회이동

터너(R. Tuner)가 말한 사회이동의 유형 2가지를 설명하시오.

438 사회이동

블라우(P. Blau)와 던컨(O. Duncan)의 지위획득모형과 같은 기능론적 접근에 따를 때 사회이동에 영향을 미치는 요인을 제시하고 이때 교육의 역할을 설명하시오.

439 교육평등론 ★

콜맨리포트(Coleman Report)에 따를 때 학업성취에 가장 크게 영향을 미치는 요소 1가지, 이때 필요한 교육의 형태 1가지를 제시하시오.

440 교육평등론

교육평등의 관점 4가지를 이와 관련한 제도 · 정책과 함께 제시하시오.

441 기초학력 보장 ★

기초학력 보장법에 따른 기초학력의 정의를 제시하고, 동법 시행령에서 제시한 기초적인 지식과 기능 3가지를 제시하시오.

442 기초학력 보장 ★★

학습을 저해하는 요인을 학습자 측면과 환경적 측면에서 각 1가지 제시하고, 학교 내에서 기초학력을 진단할 수 있는 구체적 방법 2가지를 제시하시오.

443 기초학력 보장 ★★

기초학력보장종합계획('22.10.발표)에 근거할 때 학습지원대상 학생을 전문적으로 진단할 수 있는 학교 외 기관, 교실 내에서 학습지원대상 학생을 지원할 수 있는 구체적 교육방법 2가지를 제시하시오.

Chapter

04 교육과 경쟁

모범답안 & 빈칸암기노트 p.173

444 선발과 시험

교육선발의 관점 중 엘리트주의와 평등주의의 차이점을 교육관, 평가방법, 선발시기 측면에서 각 1가지씩 제시하시오.

445 선발과 시험

호퍼(E. Hopper)의 4가지 교육선발 유형에 따라 우리나라의 대학수학능력시험을 분석하시오.

446 선발과 시험 ★

시험의 순기능 2가지와 역기능 2가지를 제시하시오.

447 선발과 시험

좋은 입시제도를 평가하는 기준 3가지를 제시하시오.

448 학업성취와 격차 ★

학업성취와 격차에 영향을 미치는 학교요인 2가지를 설명하시오.

449 학업성취와 격차 ★

원격교육하에서 발생한 학습격차의 원인을 개인 · 학교 · 가정환경 측면에서 각 1가지씩 제시하시오.

Chapter

05 교육과 문화

모범답안 & 빈칸암기노트 p.175

450 기본적 이해

디지털 교육매체를 활용한 수업에서 발생할 수 있는 문화지체 현상에 대해서 예를 들어 설명하시오.

451 비행이론 ★

비행의 원인으로 제시한 사회적 유대의 종류 2가지와 이를 고려했을 때 비행 발생 억제를 위한 교사의 방안 2가지를 제시하시오.

> 비행은 개인의 동기보다는 비행을 통제해주는 사회적 유대가 약화되어 사회통제력이 약화되면 비행이 발생한다. 따라서 교사는 사회적 유대가 형성될 수 있도록 적절한 방안을 마련해야 한다.

452 비행이론

비행의 원인에 관한 이론 중 다음의 상황을 가장 잘 설명할 수 있는 이론의 명칭을 제시하고 비행 예방을 위한 교사의 역할 1가지를 제시하시오.

> 승현이는 많은 돈을 벌어 명품 신발을 사고 싶어 한다. 그러나 수업시간 이후 구할 수 있는 아르바이트는 한정적이고 아르바이트를 통해서 얻는 수입은 명품 신발을 사기에 턱없이 부족하다. 그래서 승현이는 학교에 나가지 않고, 그 시간 동안 어린 학생들을 협박하고 폭행해 돈을 갈취하게 되었다.

453 비행이론

낙인이론과 차별적 접촉이론에 따를 때 학생의 비행이 발생하는 이유에 대해서 설명하시오.

Chapter

06 평생교육과 다문화교육

모범답안 & 빈칸암기노트 p.177

454 평생교육

평생교육의 정의를 수직적 차원과 수평적 차원에서 설명하고 평생교육의 필요성을 개인과 사회적 측면에서 제시하시오.

455 평생교육

평생교육의 원리 4가지를 제시하시오.

456 다문화교육

다문화교육의 두 가지 관점인 다문화주의와 동화주의에 대해 설명하시오.

MEMO

최원휘 SELF 교육학

핵심개념 456

초판인쇄 | 2024. 5. 3. **초판발행** | 2024. 5. 10. **저자** | 최원휘
발행인 | 박 용 **발행처** | (주)박문각출판 **등록** | 2015년 4월 29일 제2015-000104호
주소 | 06654 서울특별시 서초구 효령로 283 서경 B/D **팩스** | (02)584-2927
전화 | 교재 문의 (02) 6466-7202, 동영상 문의 (02) 6466-7201

ISBN 979-11-6987-944-6 | 979-11-6987-943-9(세트)
정가 28,000원(분권 포함)